掃除

快適！　わたしのお部屋

毎田祥子●監修
岩上喜実●イラスト

ＰＨＰ研究所

はじめに

ひとり暮らしのみなさん、生活を満喫してますか⁉
わたしにも経験がありますが、
家じゅうをお気に入りのインテリアにコーディネートしてみたり、
友達と手料理の持ち寄りパーティをしてみたりと、
ひとり暮らしには、楽しいことが盛りだくさん♪
そして、日々のお洗濯や食事の後片づけ、お風呂やトイレの掃除など、
やらなきゃいけないことも盛りだくさんです……。

仕事に遊びに自分磨きにと忙しいなか、家事を上手にこなすのは大変。
だけど家が汚いと、友達も呼べないし、美容と健康に悪いし、
だんだん心までブスになってしまうんです。そこで、このイラストブック！
ムリなく上手に〝お部屋のキレイ〟をキープするコツから、
日々の暮らしが楽しくなる小さなアイデアまでが、いっぱい詰まっています。

「せっかく四季のある国に生まれたんだから、もっと季節を楽しまなきゃ⁉」とは、
お部屋に季節をよびこむ工夫が大好きで、
そのためのお掃除ならいくらでも！　というわたしの母のことば。
そう、家事って義務じゃなくって、とってもクリエイティブなものなのです。
ページをめくりながら、素敵な暮らし方をマスターしてくださいね！

毎田祥子

小さいころから、先生や母にずっといわれ続けてきた『整理整頓』。
大人になったいま、常識程度のことはできていたけれど、
イラストを描くなかで、「こんな方法もあるんだなあ」と、
目からウロコが落ちる感じで新鮮でした。
意気込んだり構えたりせずに、
気軽に「やってみようかな」という気持ちではじめてみたくなります。
この一冊には、いつもの毎日を少しだけ過ごしやすく、
楽しくするコツがたくさん出てきます。
みなさまに、気に入っていただけたら、とても幸せに思います。

岩上喜実

快適！ わたしのお部屋

もくじ

第5章　暮らしを楽しむプチ・アイデア

第1章

お掃除をすれば幸せになれる

部屋の乱れは、心の乱れ

部屋は心を映す鏡

ものごとが順調なときは、部屋は清潔に整えられ、居心地のいい空間になります。
でも、忙しかったり、何かに迷っているときは、散らかって、探しものでイライラ！
これでは、いつまでたっても悪循環です。
どんなときもキレイにしておけば、自分の部屋がいちばん好きになるはず……。
日ごろの小さな工夫で、快適空間をプロデュース！
もっともっとハッピーな部屋にしましょう。

キレイな部屋

すっきり片づいて、掃除が行き届いた部屋に住んでいる人は、心も整理されていることが多い。

探しモノをするムダな時間もなく、心身ともに疲れも癒され、いつも前向きな気分で過ごせます。

オレンジや黄色には、
リラックス効果があるとか……。
クッションなどの小物や、
ベッドカバーを替えて、
くつろげる部屋にしてみては？

汚い部屋

あちこちにモノが散乱し、
汚れも目立つ部屋に住んでいる人は、
心も整頓されていないことが多い。
自分の部屋にいるだけで、
ストレスがたまって……。
このままでは、マイナスパワーが生じ、
運気もどんどん落ちてしまいます。

「リセット家事」と「クリエイティブ家事」

どっちの家事が得意？

家事にも種類がいろいろあるけれど、
目的によって、大きく2つに分けられます。
あなたが得意なのは、どっち？

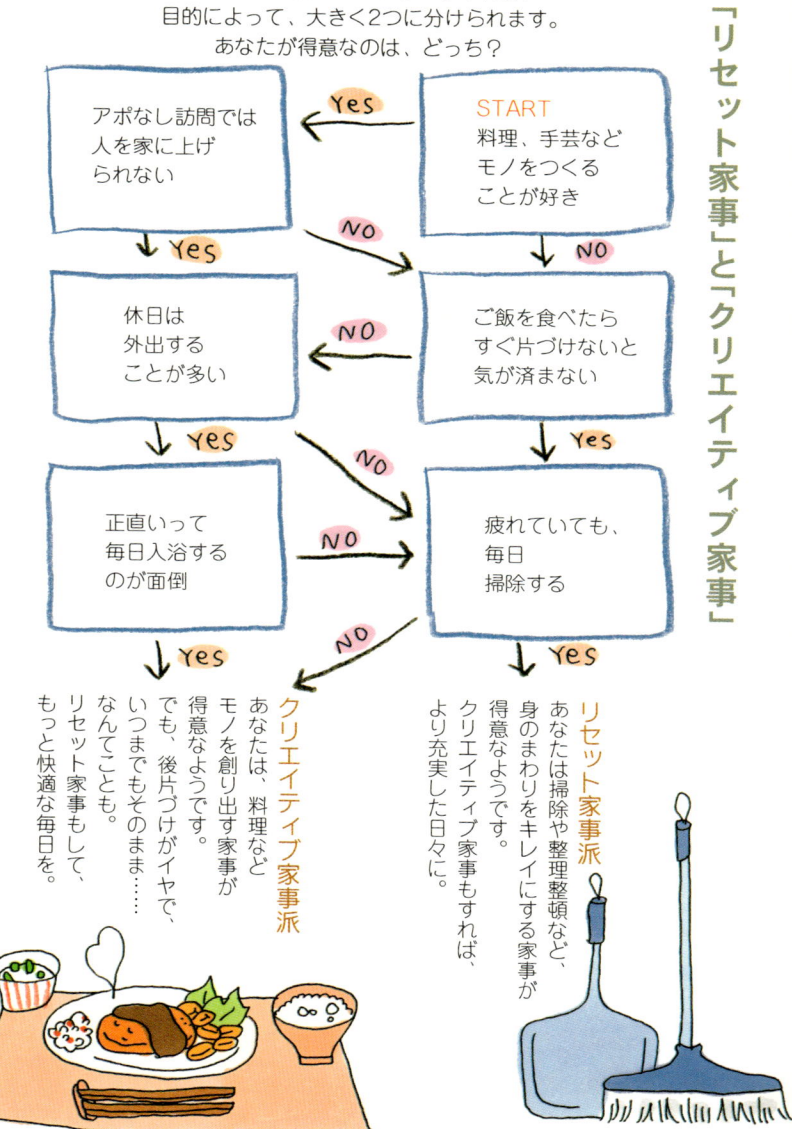

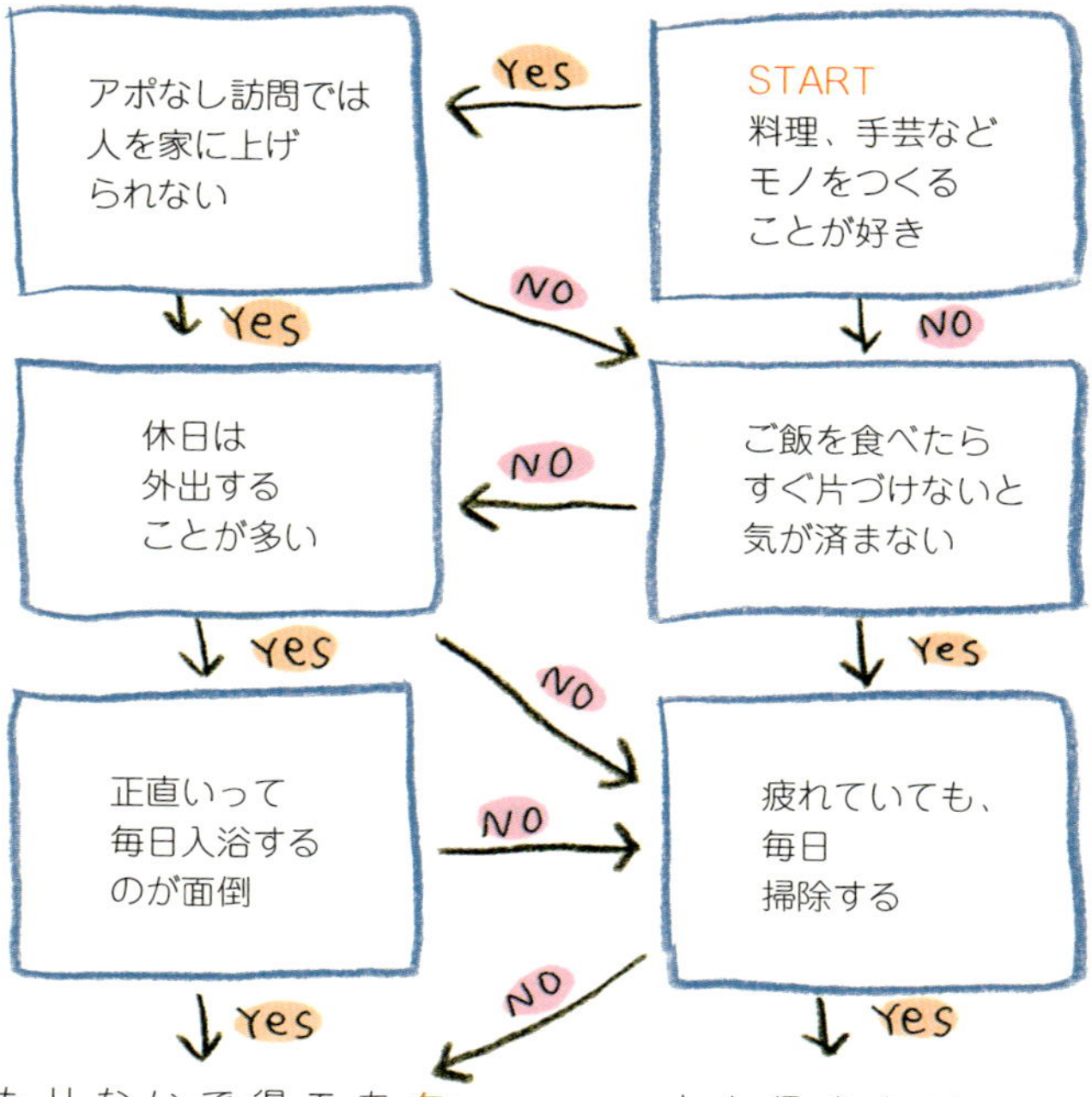
START
料理、手芸など
モノをつくる
ことが好き
Yes
NO
アポなし訪問では
人を家に上げ
られない
ご飯を食べたら
すぐ片づけないと
気が済まない
休日は
外出する
ことが多い
疲れていても、
毎日
掃除する
正直いって
毎日入浴する
のが面倒

リセット家事派

あなたは掃除や整理整頓など、身のまわりをキレイにする家事が得意なようです。
クリエイティブ家事もすれば、より充実した日々に。

クリエイティブ家事派

あなたは、料理などモノを創り出す家事が得意なようです。
でも、後片づけがイヤで、いつまでもそのまま……なんてことも。
リセット家事もして、もっと快適な毎日を。

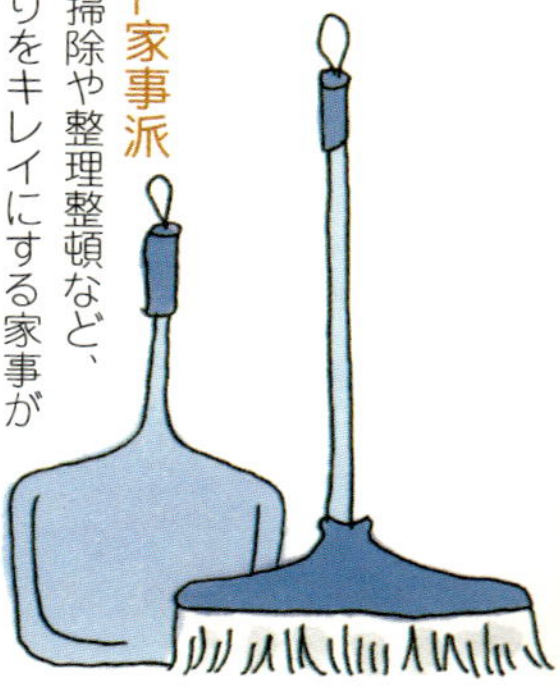

もっと知りたい2つの家事

リセット家事とは？

掃除や洗濯、整理整頓など
身のまわりを元通りにし、
衛生的で快適な生活を
行うための家事です。
家電品をうまく使えば、
労力&時間を節約できます。
ちょっとしたコツをつかんで、
簡単キレイに！

クリエイティブ家事とは？

料理やDIYをはじめ、
裁縫やガーデニングなどです。
創造的な作業なので
個性を発揮でき、
やりがいもあります。
各種外部サービスも
利用できますが、
自分でできれば、
ゆたかでヘルシーな暮らしに。

どちらの家事も、
快適な生活をするために大切です。
でも、おいしい料理をつくるには、
清潔で整ったキッチンが大前提！
「リセット家事→クリエイティブ家
事」で、スムーズに移行できます。

● 友達をよべる部屋にする

掃除をする動機づけ

掃除って、面倒だからキライ！
部屋のすみの汚れも見て見ないふり……。
そんなあなたは、「友達をよぶ」というのもテ。
さあ、当日まで、カウントダウン！

●3日前●
全体の簡単掃除。
いらないモノを捨て、
片づけ・掃除をしよう。
ムリなく、
1コーナーずつ。

●2日前●
トイレや浴室の掃除
をしよう。

●前日●
キッチン、玄関など、
汚れている
場所はないか
再チェック！
トイレット
ペーパーや
お茶など
切らしている
モノを補充
しておこう。

●当日●
歓迎の気持ちをこめて、
花を飾るのもおすすめ。
華やかになります。

家のニオイって、
他人は気になるもの。
ニオイの元を除き、
消臭スプレーや
芳香剤をセット。

掃除でダイエット!?

掃除をしただけで、キャンディー1個
分からのダイエットが。これなら部屋
も体もキレイになって、一挙両得！

35kcal

20kcal

25kcal

※20代・体重50kgの人が10分間行ったときの目安です。

片づけられない人たち

ADD

散らかしたいわけじゃないのに、
片づけても片づけても、気づくとゴミ屋敷一歩手前……。
そんな人は、ADD（注意欠陥障害）かもしれません。
脳内の神経伝達物質がうまく分泌されないのが原因だとか。

●特徴

◇優先順位をつけるのが苦手
◇整理整頓が苦手
◇忘れもの・失くしものをよくする
◇締め切りや時間に遅れがち

●治療法

投薬によって軽減する場合もあります。
日常生活に不自由を感じるなど、
困っているときは、
専門医の診断を受けるのも一案です。

「散らかっている方が落ち着く」って本当？

「手を伸ばせば必要なモノに手が届く。
探しものはすぐに見つかる。
整然としていると、落ち着かない」
それは本当でしょうか。
ある心理学の実験では、
どんな人でも、整頓されている方が、
快適に感じるそうです。

トラッキング火災に気をつけて！

差しっぱなしのプラグとコンセントの間に
ホコリがたまると、電流が流れて火災になることも……。
定期的なチェック＆掃除で、未然に火災を防ぎましょう。

第2章

捨てることからはじめよう

ライフスタイルを総点検

まずは、自分のライフスタイル、職業、生活パターン、趣味、好みについて考えてみましょう。その上で、自分にとって本当に「必要なもの」か、「必要でないもの」か、判断してみては？

処分するSTEP

① 自分なりの「モノを持っ基準」を定める

② 何が不用品なのかを考える

③ 不用品を、思い切って処分する

「取っておく」か
「捨てる」かの基準

1
センスに合うか
結婚式の引き出物などは、なかなか処分しづらい。でも、使わないなら、取っておいても、場所をふさぐだけ。

2
将来使いそうか
時間ができたら取り組みたい、趣味の道具は許容範囲。ただ「思い出」のために取っておくのはNG！「役目をまっとうした」「有効利用してくれる人に譲る」など、発想を転換。

3
「もったいない」から脱却
使わずにしまいこむ方が「もったいない」のでは？リサイクルを最大限利用し、新しく買うときは、再生･再利用できないものは避けよう。

不用品探しのコツ

部屋のどこを見まわしても、
不用品なんてない。
でも、何となく片づかない……。
そんな人は「使っていない」
「これからも使いそうにない」
ものが、きっとあるはず。
◇ひとり暮らしなのに、
傘立てに傘がいっぱい。
◇玄関の靴箱に、
収納しきれないほど、
靴がたくさん。
◇食器棚の中に、
使わない食器が重ねてある。
◇引き出しの中に、
ハサミやセロテープがゴロゴロ。

同じものがいっぱいあるのでは？

★不用品リストをつくろう！★ 古くなって、使わなくなったモノをリストアップ！

仕事の書類
食器
アルバム
服、CD

買ったら捨てる――思いきりの法則

1つ「買った」ら、1つ「捨てる」。
そうすればプラマイ・ゼロで、
部屋中いっぱいに、
モノに占領されることはありません。
不用品を置くスペース
が多ければ多いほど、
家賃をムダに払っている、
そう考えるのもいいかも。
棚やボックスなど、
「取っておく整理グッズ」を
買わないようにしています。
結局、不用なモノ
まで収納して、
かえって
スペースが
せまくなる!

「洋服の捨てどき」って、いつ…??

痩せたら
着るの!

1 新しい洋服を1着買ったら、古い洋服を1着捨てる。

2 年2回、衣替えをし、1年以上着ていない服は捨てる。

この2つを実行すればOK!

もう着ないと思う
ケド 高かったし
もったいないなー

不用品を、少しずつ処分！

「買ったら、捨てる」の鉄則を守っていても、
まだまだ部屋が片づかない。
それは、部屋のすみにたまっている
悪い空気のように、
不用品がたまっているのです。
気づいたときに1個ずつ処分する
「のんびり戦法」も◎。

箱詰のままの引き出物

汚れたぬいぐるみ

飽きてしまった
ゲーム機・ソフト

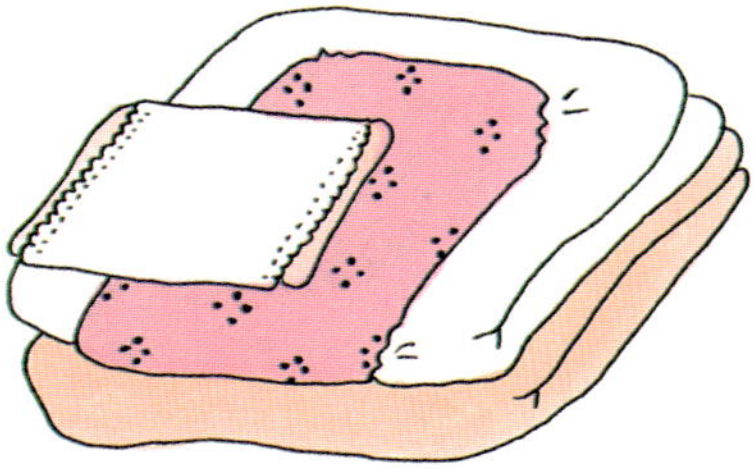

全然使わない客用布団

押入れやクローゼット、
部屋のすみなど、
見まわしてみよう。

不用品をため込むと、
本当に使いたいモノが
活用できません。

不用品を減らすアイデア

安いからと、買い過ぎない

ティッシュペーパーや
トイレットペーパー、調味料など、
「どうせ使うんだから」と、
安売り品を買い込んで、
「トクした！」と喜んでも、
結局、部屋を占領したり、
使いきれなかったり……。
必要なものだけ買いましょう。

不用なら断わる

お弁当や飲み物を買うと、
割り箸やスプーン、
ストローがついてきます。
でも、使わなければゴミ！
紙袋や紙包みなどの
過剰包装も、資源を減らし、
ゴミを増やします。
「いりません」と断わる勇気を。

マイバッグを活用

買い物にマイバッグを持参すれば、
袋ゴミは確実に減ります。
スーパーによっては、
ポイントを加算してくれる所も……。
エコにもつながって一挙両得！

プチ風水

不用品をため込むと、
新しい吉運を
呼び込むことができません。
モノを捨てられない人は、
悪運も捨てられない!?

レジ袋　すっきり収納法

丸めておくとスペースを占領、上手にたたむのが◎。

縦3つに折り、横半分折りにし、折った部分をかみ合わせて重ねます。

折り重ねたら、ティッシュの空き箱に入れるだけ。

すっきり収納できて、使うときは簡単に取り出せます。

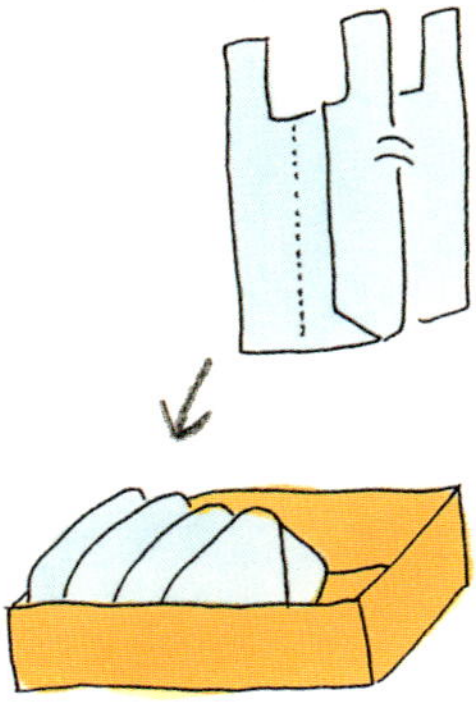

レジ袋、ためたままでは ただのゴミ…
上手な収納法と 活用法を バッチリ紹介します

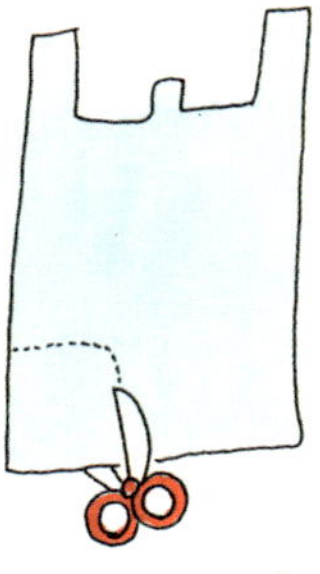

●キッチンの油取りに

レジ袋のビニールは、油を吸着する性質があるので、汚れ落としに活用しよう。

15センチ四方にカットして、シート状にすればOK！

油をこぼしても、簡単キレイに。

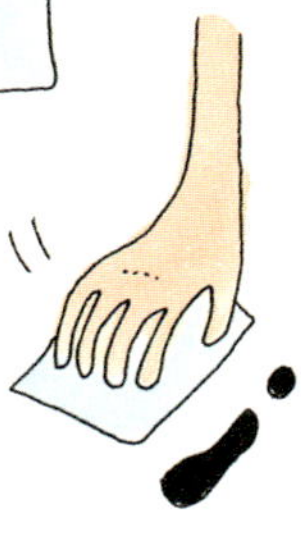

●お風呂の湯アカに

汚れた部分に、中性洗剤をかけ、ビニール袋でクルクル円を描きながら磨いてみて。

スポンジと違って洗剤を吸収せず、効果をフルに発揮！

「カモ」が集まればゴミになる

いつか使うカモ…
旅行に持っていくカモ…
捨てたらもったいないカモ…
そんな「カモ」が、
たまっていませんか?

試供品

旅行にいい「カモ」と思っても、行く機会がなかったり、結局忘れてしまって……。1年たっても使わないなら、捨てましょう。

海外旅行に持って行こうっと!

香水や口紅

好みじゃないのに、いつか使う「カモ」と、なかなか処分できない。でも、この先も使わない確率は限りなく高い。

彼からのプレゼントだし、どうしよう…

サイズの合わない洋服・靴

ちょっとキツイのに、捨てるのはくやしい「カモ」……。新品同様なら、リサイクルショップやオークションへ。スペースが空けば、また、新しいモノが買える。

痛くてはけない。でも新品だし…

高級化粧品

高かったのに、もったいない「カモ」。でも、肌に合わない化粧品は無用の長物。親しい人になら、早い時期にあげてもいい。そうでなければ、やっぱり処分。

高いから、キレイになると思ったんだけど…

「カモ」をためないコツは？

◎「100％使わないもの」は処分！

これからも使いそうもないものは、残しておいても、
ただ邪魔なだけ。即刻処分しましょう。

◎使えるものは、すぐ使う

古くなった化粧品は、肌トラブルになることも……。
すぐに使った方がムダにならず、収納スペースも空きます。

◎こまめにチェック！

洗面台の引き出しや戸棚の中は、ムダなものがいっぱい。
不用品は、迷わず捨てれば、すっきり片づきます。

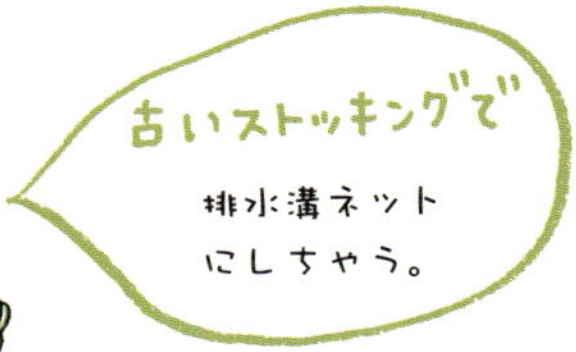
古いストッキングで
排水溝ネット
にしちゃう。

有効利用 症候群！

～だから私は、捨てられない～

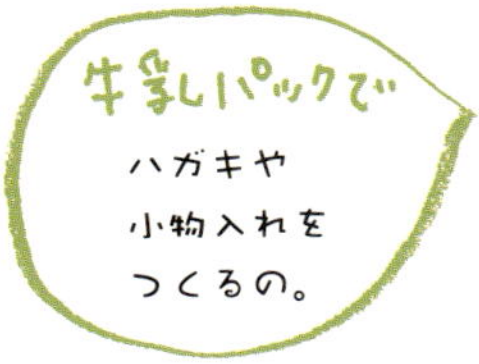
牛乳パックで
ハガキや
小物入れを
つくるの。

廃品を捨てる前に
有効な使い道を考える……
エコロジー面では大切です。
でも、そのために雑然として、
必要なものが、
見つけにくくなっていたら？
不用品を処分して、
すっきりしてから
有効利用を。

解散！

どう捨てる？ 個人情報

ゴミ箱へ直行は危険!!

水道・電気・電話などの
請求書や領収書、
キャッシュカード、
クレジットカードの利用明細、
給与明細、宅急便の送り状……。
個人情報がいっぱい。
そのまま捨てたら大変なことに!?

「個人情報保護法」って知ってる？
民間事業者のために、
個人情報を取り扱うルールを
決めた法律なの。
近ごろは自宅でも、
個人情報が探られる危険が
増えたから、無造作に
捨てるのはとても危険！

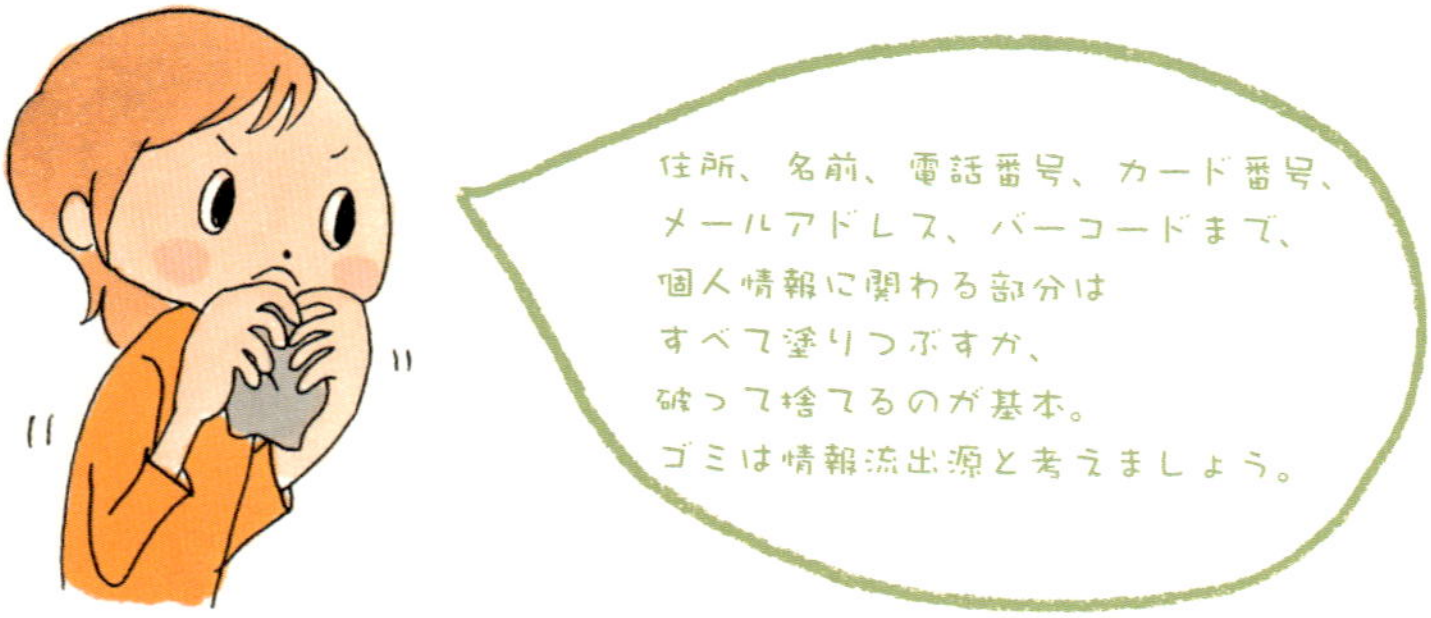
住所、名前、電話番号、カード番号、
メールアドレス、バーコードまで、
個人情報に関わる部分は
すべて塗りつぶすか、
破って捨てるのが基本。
ゴミは情報流出源と考えましょう。

個人情報処分に便利なグッズ

ハサミ型シュレッダー
持ち運びができて手軽。電気代もかからない！

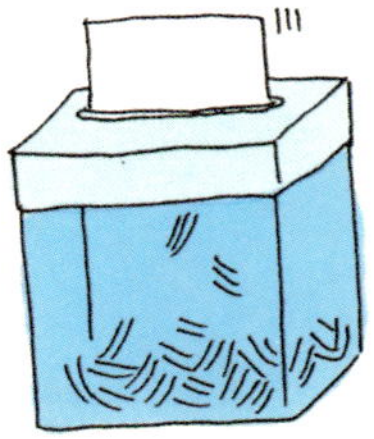

クレジットカードも裁断できる、強力シュレッダー

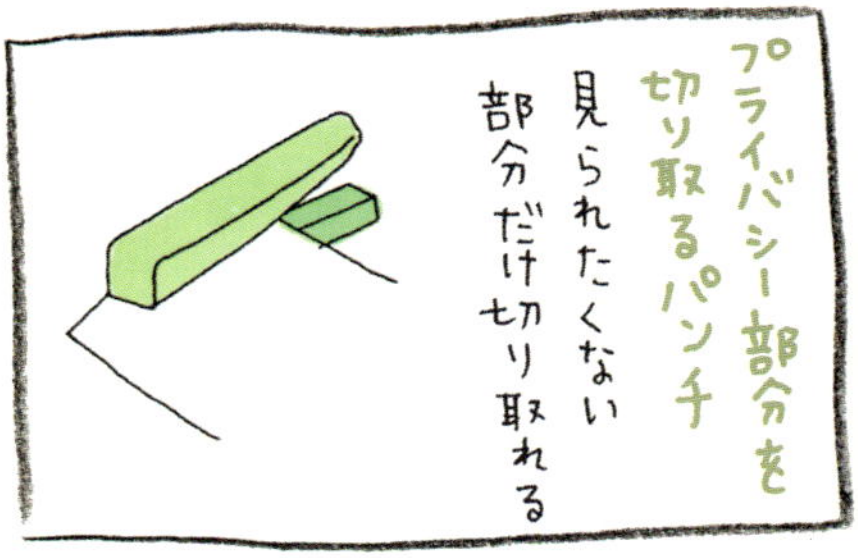
プライバシー部分を切り取るパンチ
見られたくない部分だけ切り取れる

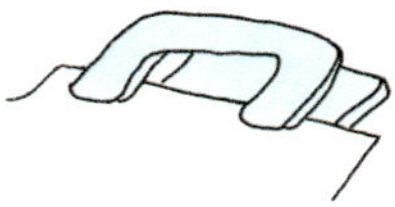

重要な情報だけカットすれば、普通の穴あけパンチでも。

個人情報の処分　1年たったら、捨ててもOK

毎月送られてくる請求書や領収書は、あっという間にたまって場所を取るもの。何年分もため込んでしまうと、捨てるための処理も一苦労！
1年間保管したら捨てる「1年サイクル」を。年ごと、月ごとに分類して袋に入れておけば、順番に処分していけます。

「様子見BOX」をつくる

思いきって捨てたのはいいけれど、
「捨てなければよかった」なんて後悔しないために、
ワンクッション置いて、様子見BOXに保管しましょう。
ただし、「2箱まで！」と、決めることが大事です。

素敵なBOXを選ぶ

部屋のテイストに合わせた
自然素材の箱やカゴを用意。
上に布やリネンをかぶせれば、
部屋に出しておいても◎。
片づけの都度、入れられる。

収納BOXにしない！

あれもこれもと、
しまい込んで押入れに……では、
結局モノを増やして
スペースをふさぐことに。
必ず日付を明記して、
1年以上は保存しない。

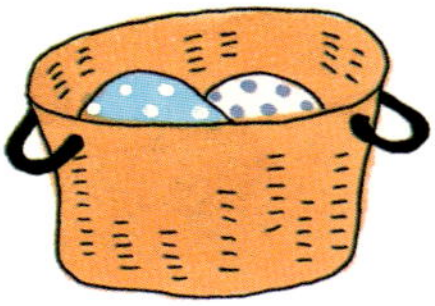

処分
何年も前のもので流行遅れ。そのうちにまた同じような流行が来るかも、と思い取っておいて結局出番ナシ。
安いから買ったけれど、やっぱりイマイチ。何となく取ってあった。
1年間まったく着なかった。でも気に入って買ったもの。処分するのはちょっと…。
色や柄が好きなので、そのうちリメイ
したい。

衣替えがチャンス！

そのまま全部、収納ケースに入れるのは×。1枚ずつ、そのシーズンに着た服を思い出してみて。ほとんど着ていなかった服は処分するか、様子見BOX行きを検討しましょう。

★POINT★
衣替えをやめるのもテ

オフシーズンの服もそのままストック。ワードローブを把握できる。

これいいなー
値段も手頃だし、
買っちゃおうかなー
この間も
同じようなの
買ってなかった？

処分品ばかり！様子見BOXもすぐいっぱい！

そうならないために…

気がついたら同じような服ばかり。「買ってすぐ処分！」は×。第三者の視線を借りるのもひとつの方法です。

捨ててトクする〜不用品処分法

ネット・オークションに

自宅にいながら出品できるのが最大の魅力！

画像を用意したり、落札者との連絡や梱包発送が面倒だけど、値段が競り上がって、思わぬ人気商品にも……。

フリーマーケットに

商品を直接見れるので、状態がやや悪くても売れる可能性あり。
出店料がかかったり、時間制限があるので、グループで参加するのも◎。

リサイクルショップに

大きい・壊れやすいなど、持ち運びが難しいものは、引き取ってもらうとラク。
自分で値段がつけられず、売値が安くなることが多い。

ブランド品や
レアモノは高値が
つく傾向に…。
新品同様の
ものも強い！
ONE POINT!

第3章

お部屋のキレイをキープする

掃除道具あれこれ

掃除って面倒。キレイにしてもすぐ汚れるし、
道具や洗剤もたくさんあり過ぎて、
何を選べばいいかわからない……そんなあなたに、
ムダなく効率的にお掃除するグッズを紹介します。

ほうき＋ちりとり

古典的な道具ですが、
部屋のすみずみまで
キレイにできて便利。

雑巾

汚れ落としや磨きに
欠かせないのが雑巾。
わざわざ買わなくても、
古い衣類を切って使えばOK。
使いやすい大きさに切って
常備しておきましょう。

洗剤

軽い汚れ用の食器用洗剤と、
ひどい汚れ用の住居用洗剤の
2種類があれば◎。
酢や重曹を使う方法もあります。

化学ハタキ・化学雑巾

静電気を利用してホコリを吸着。
家電や照明カバー、
プラスチック素材の壁にピッタリ！

※掃除ブラシや古歯ブラシを、
細かい場所の掃除に活用するのも◎。
扉や窓のレール部分、蛇口の根元などに。

古新聞

ちぎって湿らせて掃き掃除に、
換気扇掃除のときは、
真下に敷いたり、いろいろ使えます。
窓掃除では、
「汚れ落とし＋ワックス効果」も。

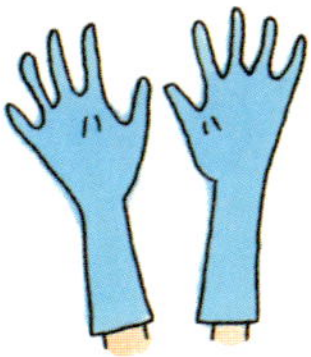

ビニール手袋と軍手

水を使った掃除のとき、
「汚れ防止＋手荒れ防止」に、
ビニール手袋を。
軍手はブラインドなど、
拭きにくい場所の雑巾代わりに
手にはめて使います。

必須ではないけれど……

窓ガラス用スクレーパーや、
柄の長いモップ（高い所の掃除に）
があると便利です。

洗剤・洗浄剤のいろいろ

「軽い汚れ用」と、
「ひどい汚れ用」が
あれば十分。
汚れ具合や種類によって
使い分けましょう。

住居用洗剤（アルカリ性）

汚れに直接スプレーするか、
雑巾につけて拭いてから、
別の雑巾で水拭きを。
換気扇などのガンコな汚れは、
洗剤をつけてからラップでパックし、
汚れが浮いたら拭き取ります。

食器用洗剤（中性）

薄めた洗剤をつけたスポンジや
雑巾で拭き取り、
別の雑巾で水拭きします。
キッチンまわりや棚、
テーブルなどに。

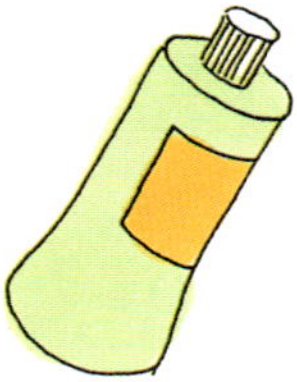

ガンコな汚れに＋＠＝強力パワー!!

●漂白剤

キッチンの三角コーナーや
シンクの排水口の掃除・除菌、
お風呂のカビ取りなど、水まわりの掃除に。

●エタノール

水で濡らした雑巾で、
カビなどを拭き取った後、
エタノールをスプレーして別の雑巾で拭きます。

エコ洗浄剤もおすすめ

人にも地球にも
やさしいの。

◎重曹

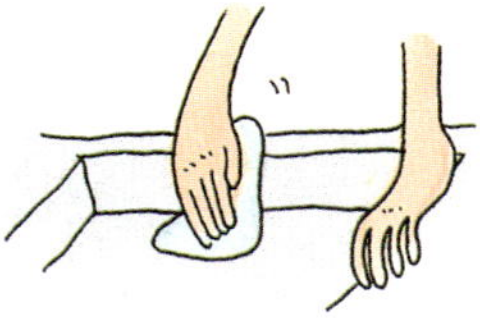

布を水につけてから絞り、
重曹を少量つけてシンクをこすると
汚れが落ちてピカピカに。
食器や窓ガラス、
プラスチック製品や家電など、
家中の掃除に使えます。

クエン

◎クエン酸

ポットの中に、水(2〜3ℓ)と、
50gのクエン酸を溶かし混ぜ、
1時間だけスイッチON！
ふきんの消毒はもちろん、
まな板や包丁の抗菌にも使えます。
注）鉄や大理石には使わないこと。

◎石鹸

手荒れしにくく、汚れ落ちがいい。
粉や固形、液体など、
さまざまな形状がありますが、
初心者には扱いやすい
液体石鹸がおすすめ。
水で薄めれば手洗いや、
台所・風呂掃除など
あらゆる場面で活躍！

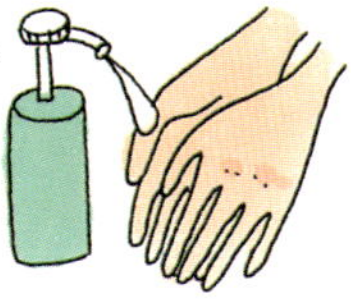

基本の掃除テクニック

掃除効率を上げるために、「基本の3ステップ」をマスターしましょう。ムダな動きをなくして、大幅にスピードアップ!

STEP1 片づける

まずは散らかっている部屋をきちんとすることから……。出したものは元の場所に、整理されていないものは整頓を。出しっぱなしのものを収納したり、不要なものは捨てる。

STEP 2
汚れを落とす

家の中の汚れはホコリと油。
汚れの種類とレベルごとに
やり方を変えること。
ホコリやゴミの掃除は「上から下へ」
油汚れは「下から上へ」。
こびりついた汚れを残さず落として。

STEP 3
磨く

「磨けば光るところを磨く」は、
プロのテクニック。
一般家庭でもお客様の印象を
左右するのは、蛇口やドアノブ、
鏡などの曇り具合。
掃除の仕上げは、
これでバッチリ！

ひどい油汚れは、パックが有効！

洗剤を濃いめに溶かした水を、
汚れた部分につける。
ペーパータオルやラップで覆って
しばらく置くと、
汚れがやわらかくなり、
落としやすくなる。

ホコリは上から下へ、油はクルクルピン！

ホコリを払う順は「上から下へ」

「天井→照明→壁や棚→床」と進めます。
ハタキで、天井、照明、壁のホコリを払い、
化学雑巾で、棚を拭き、
掃除機で、床に落ちたホコリを吸い取る。
あらかじめ床に茶がらをまいておけば、
ホコリは舞い上がりません。

水まわりはクルクルピン！

キッチンや浴室の汚れは、
こびりついて落としにくい。
直線的にこするだけでなく、
クルクルと円を描くようにすると、
キレイに落とせます。

※水あか、黄ばみ、油汚れには、
研磨クリーナー（別名：万能スポンジ）が便利。
使い方は、好みの大きさに切って、
水を含ませて絞るだけ。
シンク、戸棚、レンジ、冷蔵庫をはじめ、
浴室やトイレなど、あらゆる場所で活躍！

キッチンのしつこい油汚れをキレイに

シンクの排水口に蓋《ふた》をし、
大判のビニール袋を敷きつめ、
ガステーブルから外した五徳《ごとく》や
受け皿などのパーツ、
換気扇のフィルターを置く。

その上に、全体にぬるま湯を張る。
中性の液体洗剤を全体に
まんべんなく入れ、30分置く。

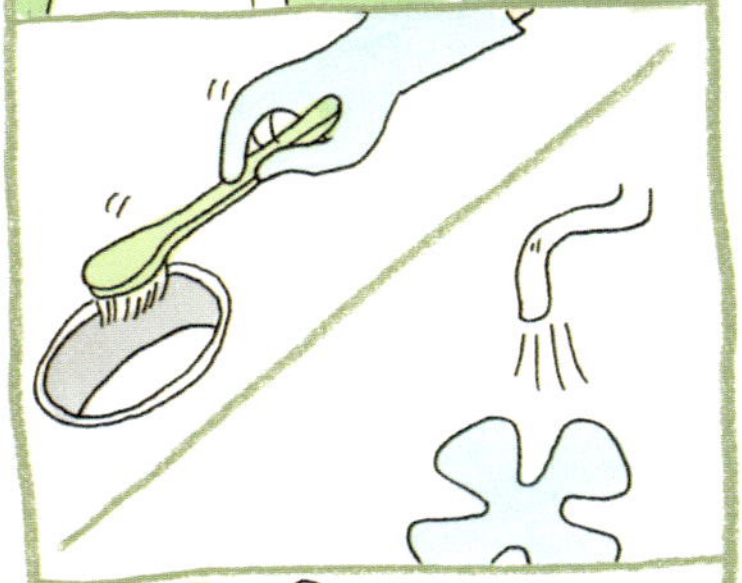

歯ブラシで、
パーツの汚れをこすり洗いする。
全てのパーツを洗ったら、
水でキレイにすすぐ。

掃除ではずしたパーツ類は、
完全に乾いてから元に戻して。
濡れたままでは、サビの原因に。

これなら簡単！　インスタント掃除

急な来客があったとき

掃除している時間はないし、どこから手を着ければいいの？

部屋全体をサッと片づけるのが大前提です。

次に、お客様が、もっとも目につく「すみっこ」「光る部分」を掃除すれば、劇的にキレイに見えます。

「ミニちりとり&ほうき」を活用

いちいち掃除機を出して、
電源を入れて……は面倒です。
すみっこなどは、
ミニちりとり&ほうきで十分!

ふだんから、気になったときに、
いつでもササッと掃除。
使わないときは、ミニちりとり内に
ほうきを収納できます。

光る部分をササッと磨く

金属部分や明るい場所は、
くすみや汚れが目立ちます。
パソコンやテレビの画面、
電気の傘など、
来客前にホコリをひと拭き!

鏡をキレイに拭いた後、
じゃがいもの断面をこすりつけ、
乾いた後、から拭きすると
曇りにくくなります。

蛇口は、ストッキングを
丸めて使うとキレイに。

出かける前、寝る前の「ちょこっと整理」

仕事、遊び、習い事……。
忙しいと、すぐ散らかってしまう。
そんなあなたは、朝と晩、それぞれ1分程度、
ちょこっと整理をしてみませんか？

出かける前

床に落ちているものは、元の場所へ戻して定位置に！

テーブルの曲がりを正し（壁のラインとそろえ）、テーブルの上を片づける。

時間に余裕があるときは……

出かける前＆寝る前の整理だけでなく、
プラスαで一カ所だけ片づけましょう。
クローゼットに放り込んだ洋服、
棚の整理、散らかったパソコンまわり……。
どこか一カ所ならムリなくできます。

寝る前

洗濯物は、ひとまとめにし、白いもの、色ものなど、分類しておく。

すぐに散らかる新聞、雑誌、衣類を、ササッと元の場所へ。

●「ついで掃除」と「ながら掃除」

これなら、負担も少なく、いつもキレイな部屋をキープ！

「ついで掃除」の一例

電化製品のプラグを
抜くついでに、
ホコリを拭く。

シャワーを止めたついでに、
タオルでサッと蛇口を拭く。

洗いものをした
ついでに、
シンクを磨く。

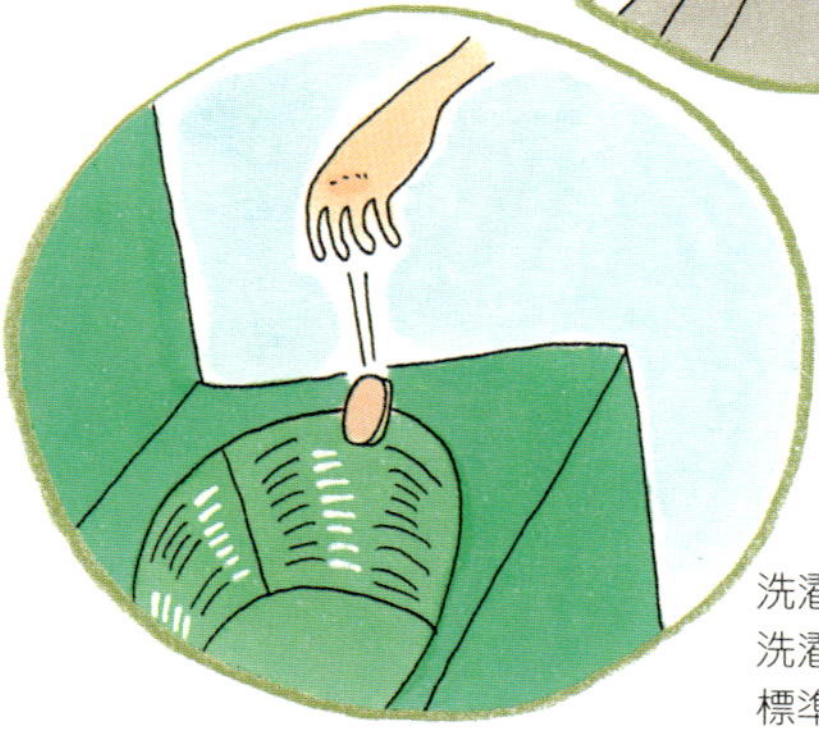

洗濯をしたついでに、
洗濯槽クリーナーを入れ、
標準コースにセット。

「ながら掃除」の一例

電話をしながら、
ハタキで
ホコリを払う。

テレビを見ながら、
テーブルの上を
整理する。

モップ付スリッパで、
歩きながら掃除。
一石二鳥！

「とりあえずカゴ」ですっきり!

出かける前は、1分でも貴重な時間。
やっと帰宅したら、疲れ果ててベッドに倒れ込む。
これでは部屋の中は散らかる一方……。
そんなとき、威力を発揮するのが、「とりあえずカゴ」です。

これなら
365日お部屋は
キレイ!

「とりあえずカゴ」とは?

忙しいときは、部屋のすべてを
片づけられません。
衣類、紙類、新聞、郵便などを、
とりあえず入れておくカゴのこと。
ひとつのカゴにまとめておくだけで、
片づいて見えるので、
急な来客にも安心!

片づけ期限をもうける

とりあえずカゴに入れたものを、
ずっとそのままというのはＮＧ！
必要なものもあるし、
どんどん入れていったら、
気づいたときはあふれてしまいます。
片づけ期限を守ることがルールです。

片づけ期限の一例

朝、カゴに入れた服は、
夜になったら、取り出して整理。
洗濯するものは洗濯機に、
着るものはハンガーにかけましょう。

★ポイント

◇雑誌や本のストックは、週末までと決める。
◇紙類は古紙回収の前日までにまとめる。

指定席と自由席がある

モノをあるべきところに収めれば、探しものをしなくて済みます。でも、自由に置いた方が便利なものも……。指定席と自由席、どう分けたらいい？

普段よく使うもの（リモコン、化粧品）、筆記用具、貴重品、洋服、バッグ、アクセサリーなど。

動線を考えて配置

出かけるときに使う貴重品や鍵は、
いつも目に入る場所へ。
化粧品はメイクをする鏡のそば、
筆記用具やリモコンはテーブルの端など。

新聞、雑誌、部屋着など

気まぐれに、思いつくまま…

読みかけの本や雑誌は、
手に取りやすい場所へ。
ある程度まとまった量がある場合は、
マガジンラックなどを利用して上手に収納。

魅せる収納

「捨てる」「しまう」だけが収納じゃない。
キレイにディスプレイすることで、
部屋づくりはもっと楽しくなります。

ミニギャラリーをつくろう

コレクションや数が多いもの、
手づくりグッズなどは、
棚に飾って見せる収納はいかが?
掃除しやすさやホコリ除けを考えて、
透明ケースなどに入れるのも◎。

アクセサリーもインテリアに

華やかなアクセサリーはしまい込まず、
アクセサリースタンドに飾って収納。
つけるときも、いちいち
ケースから出す手間が省けます。

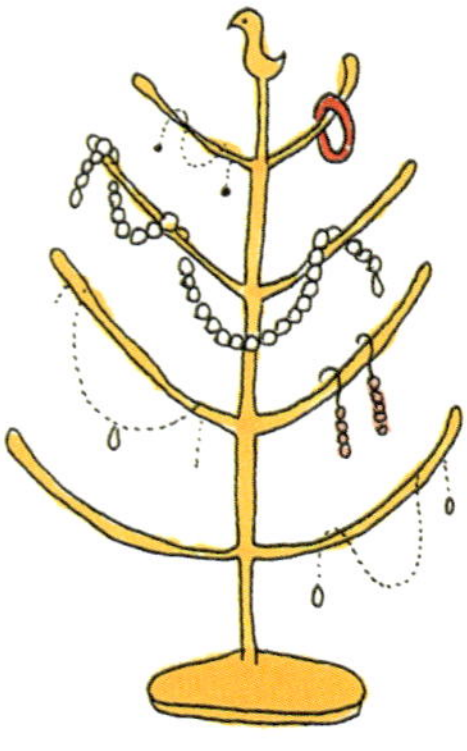

実用品の生活感を消す

生活雑貨やキッチン用品などの実用品は、
半透明のケースに入れて収納。
中身がわからなくなることもなく、
ほどよく生活感を消してくれます。

本棚をおしゃれに飾る

本もただ並べるだけでなく、お気に入りの表紙の本や写真集の表紙を正面に向けてディスプレイ！

隙間には、おしゃれなブックエンドを利用してすっきりと。

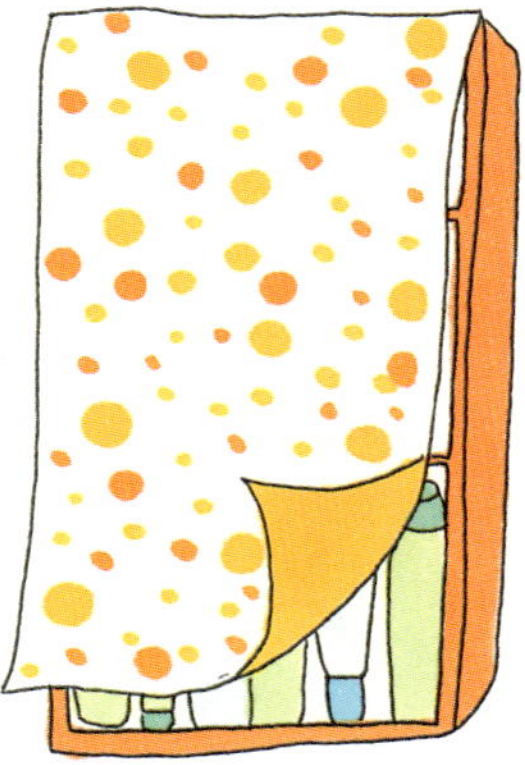

キレイな布で目隠しを

見せたくないものや、大きさや数がそろっていないものは、キレイな布をカーテン代わりにして目隠しを。

布は、部屋の雰囲気に合わせて選んで。

衣替えのポイント

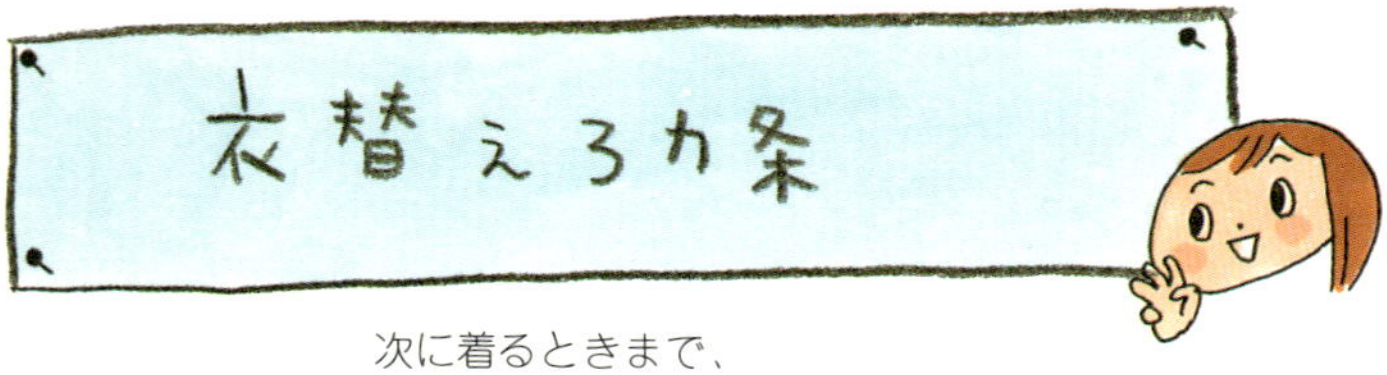

次に着るときまで、
タンスの中で気持ちよく眠っていてほしいから、
衣替えは上手にしたいですね。

1 汚れを取る

衣類を食い荒らす虫は、
繊維そのものだけでなく、
食べ物のカスやシミも大好物！
ほんのちょっとの洗い残しが元で、
大切な洋服を食べられてしまって……。
長期間しまう前は、
しっかり汚れを落としましょう。

2 乾燥させる

虫もカビも大好きなのが湿気。
しまう前に虫干しするのがコツ。
クリーニングから戻ってきた
ビニール袋に入れたままだと、
溶剤がついていて
服が傷むことがあるので、
必ず取り外して。
ぎゅうぎゅう詰め込むのは、
風通しが悪くなるのでNG！

3 防虫剤を入れる

防虫剤から発生するガスは、
空気よりも重く、
下に向かって流れるので、
衣類の上に置くのが◎。
違う種類の防虫剤を混ぜて使うと、
衣類にシミがつくことがあるので
気をつけましょう。
乾燥剤も一緒に使うと効果アップ！

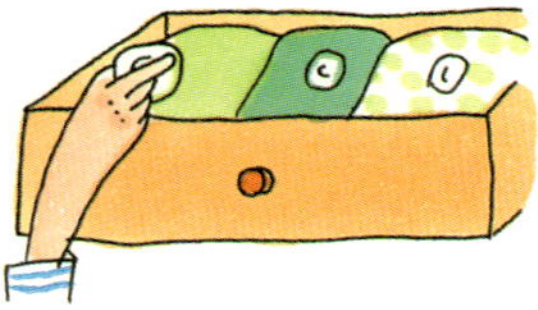

お天気のいい日に「風にあてるだけ虫干し」を

クローゼットやタンスの中は、湿気がたまりがち

お天気がよく乾燥している日に、
「風にあてるだけ虫干し」をして
湿気を追い出しましょう。
室内の生活臭が吹き飛んで、
気分もすっきり一新！

やり方はとっても簡単。
家中の窓を開けたら、
クローゼットや押入れの扉を全開し、
タンスは引き出しを取り出して
風にあてるだけ。

春夏秋冬いつでもＯＫ！
午前10時～午後2時までの、
お日様が「元気」な時間帯が
おすすめです。

バッグの収納法

バッグ同士はとっても仲良し

革のバッグを重ねてしまうと、湿気でお互いにくっついてしまい、引きはがしたときに表面がはがれることが……。大事なバッグが台無しになったら、気持ちも沈んでしまいますね。だからこそ、収納するときのケアが大切なんです。

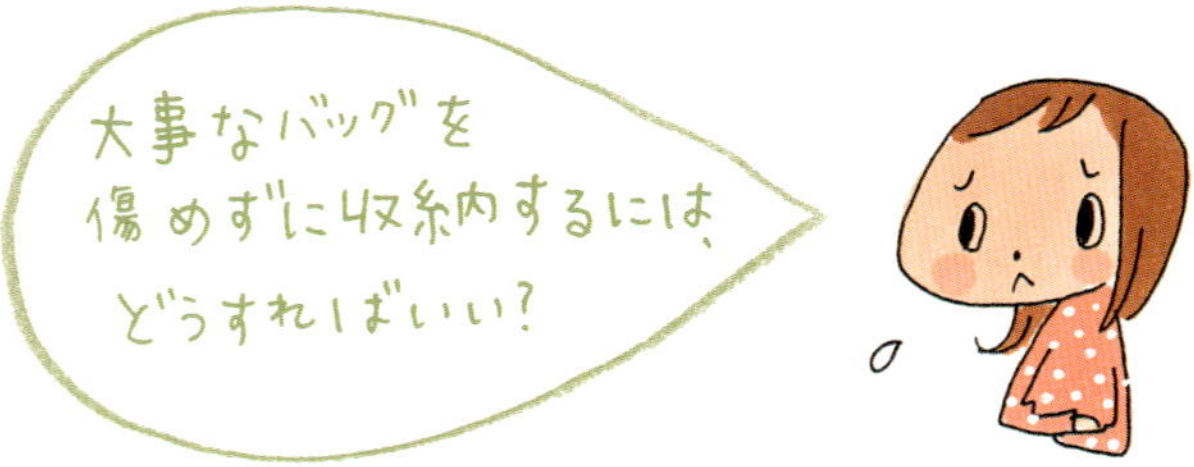
大事なバッグを
傷めずに収納するには、
どうすればいい？

すぐにできるテク
バッグをひとつずつ包む

ひとつひとつ離して収納できれば問題ありませんが、スペースがないときは、ひとつずつ不織布《ふしょくふ》や布で包んで収納。古くなったTシャツを利用するのもいいですね。これなら重ねてもくっつかないので安心です。

バッグのすっきり収納法

●専用パイプラックを設置

スペースに余裕があるなら、
クローゼットの中などに
バッグ専用のパイプラックをもうけましょう。
型崩れの心配がないものは
ネットに入れてS字フックに引っかけ、
大事なバッグは棚板に並べて収納。
使いたいときに
パッと取り出せるのも便利です。

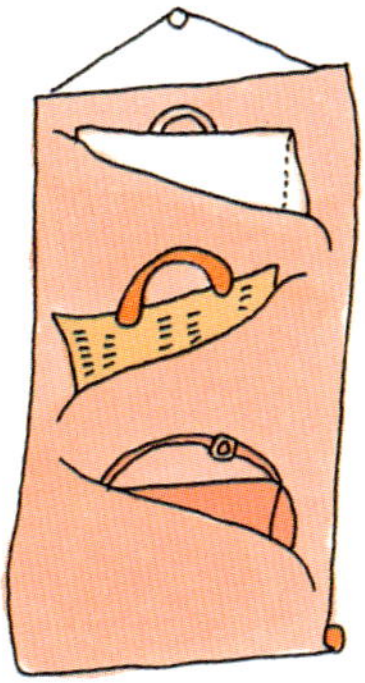

●バッグラックを活用

形やサイズの違うバッグを、すっきり収納でき、
クローゼットやハンガーラックの隙間を活用。
バッグ同士が接触しないので
大事なバッグを守れます。

●バッグinバッグ

大きなバッグの中に、小さなバッグを入れ、
入れ子状態に……。
ただし、バッグ同士が仲良くならないよう、
組み合わせは「布製品＋革製品」に。
湿気防止のために
乾燥剤も一緒に入れておきましょう。

ベッド下の収納スペース

ベッドは寝るだけのものにあらず!

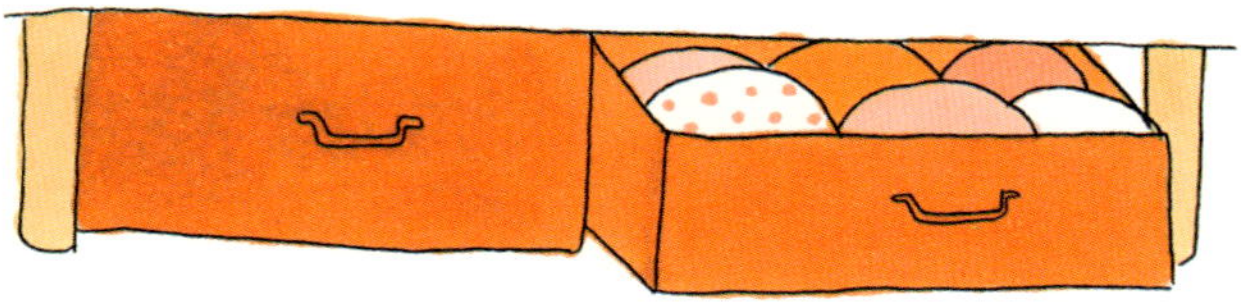

家に帰ってきたら
リラックスしたいのに、
ごちゃごちゃものが
あふれた部屋では、
よけいストレスがたまりそう。

部屋をすっきりさせるために、
限られたスペースを
できる限り活用しましょう。
そこで注目したいのが
「ベッド下」の収納スペースです。

季節はずれのふとんや洋服など
ふだん使わないものを
しまっておくのにうってつけ。

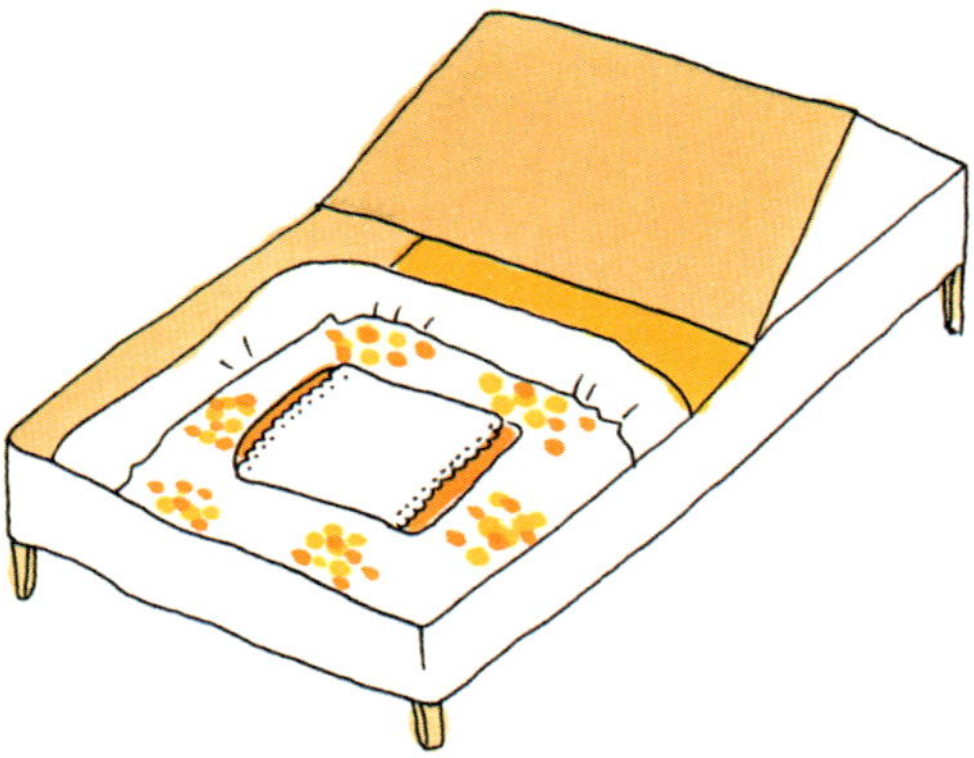

ハイタイプベッドなら お部屋の広さが一挙に2倍!!

「そろそろベッドの買い替え時」と思っている人は、ベッド下のスペースをもっと有効活用できるハイタイプベッドはいかが？ 本棚や衣装ケースを置けるから、さらにお部屋がすっきりします。ロフトタイプベッドはロフトつきの部屋に住んでいるようで、ちょっとお得な感じです。

収納棚がついていないベッドでも……

床下に空間があるタイプなら、その空間をムダにするのはもったいない！ ベッドの床下用収納ケースを利用しましょう。床下の高さにぴったり合うタイプを選べば、備え付けの収納棚のように違和感なく収まります。

ベッド下は湿気やすい 除湿をお忘れなく

ベッド下収納はどうしても湿気やすくなるので、引き出しには吸湿性のある新聞紙を敷き、除湿剤も入れましょう。「風をあてるだけ虫干し」（P53参照）も定期的に行ってください。

靴を収納する前の、簡単お手入れ

お肌のように、靴にもスキンケアを！

汚れを放っておくと、靴も傷みが早くなります。
一日頑張ってくれた感謝をこめて、
きちんと「スキンケア」をしてあげましょう。
ブラシなどで汚れを落とした後
クリームを塗り、キレイな布で磨きます。
翌朝、ピカピカの靴があったら
「今日もやるぞ！」という気持ちになれますね。

雨に濡れたときのお手入れ

革靴は水気が大嫌い。
濡れたときはできるだけ早いケアを。
乾いた布で水分をよく拭き取って、
風通しのよい場所で陰干しをします。
新聞紙を靴の形に合わせて
詰めておくと型崩れしません。

火のそばや、直射日光で
乾燥させちゃダメ！
変形
ひび割れ

手づくりシューキーパー

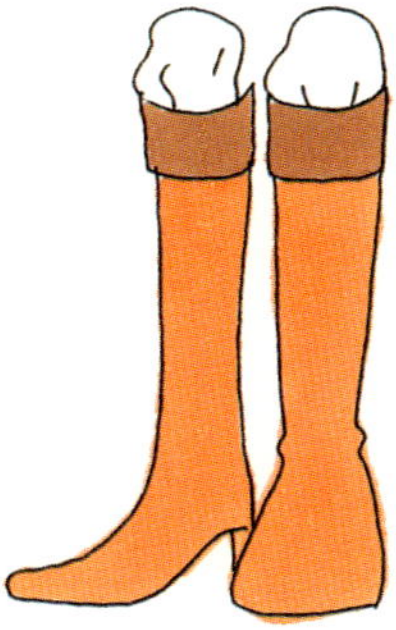

靴を型崩れから守るために、はかないときはシューキーパーを。靴の内部をキレイな布で覆い、靴の形に合わせて新聞を詰めていくだけ。ブーツなら片足で朝刊一紙分あればOK！

下駄箱のニオイを撃退～除湿と消臭のW効果～

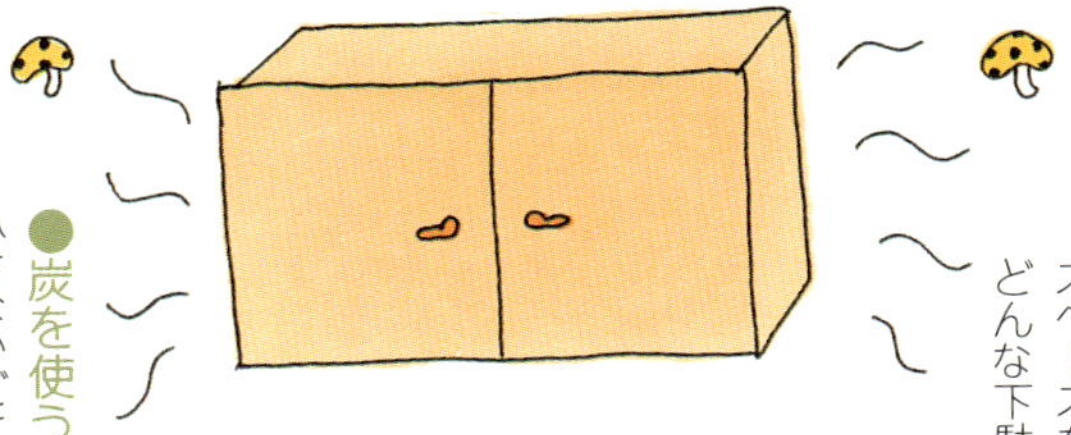

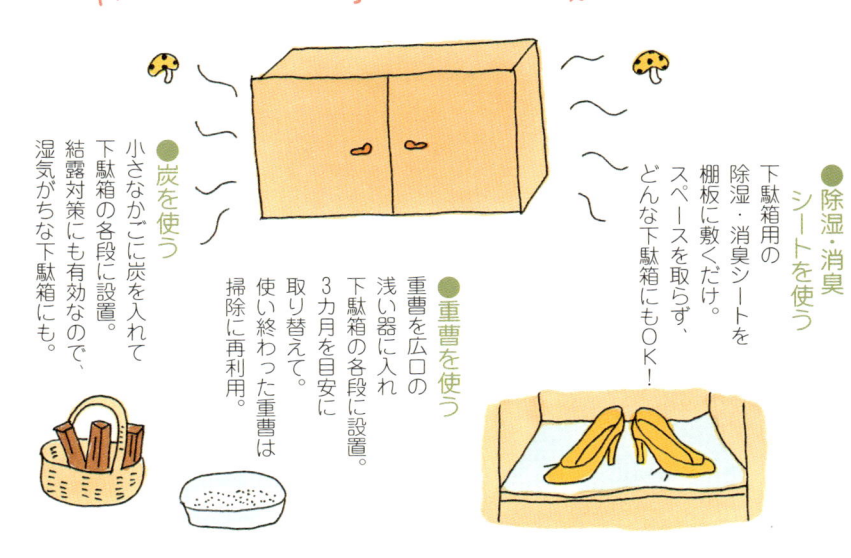

●除湿・消臭シートを使う

下駄箱用の除湿・消臭シートを棚板に敷くだけ。スペースを取らず、どんな下駄箱にもOK！

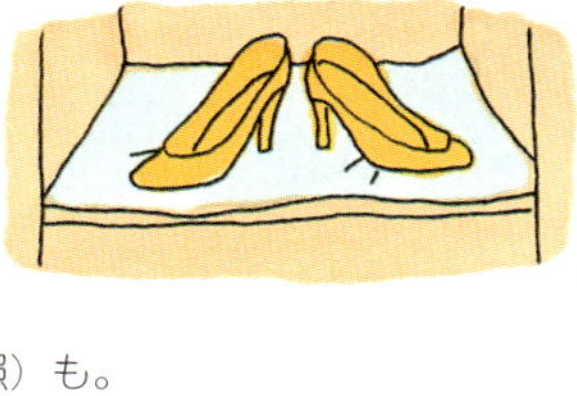

●重曹を使う

重曹を広口の浅い器に入れ下駄箱の各段に設置。3カ月を目安に取り替えて。使い終わった重曹は掃除に再利用。

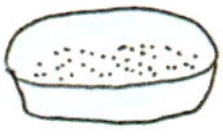

●炭を使う

小さなかごに炭を入れて下駄箱の各段に設置。結露対策にも有効なので、湿気がちな下駄箱にも。

※定期的に「風にあてるだけ虫干し」（P53参照）も。

靴をすっきり収納するコツ

家の第一印象を決める玄関は、いつもすっきり片づけておきたいですね。風水によれば、靴を出しっぱなしにしていると、よい運気を逃がしてしまうとか……。

・テク1・重ねてしまう

下駄箱の収納量を増やすには、靴を重ねてしまうに限る。靴の箱前面に切り込みを入れ、内側に倒して止めれば、あっという間に2段収納に。お店で売っている、キッチン用の重ね棚を利用するのも◎。

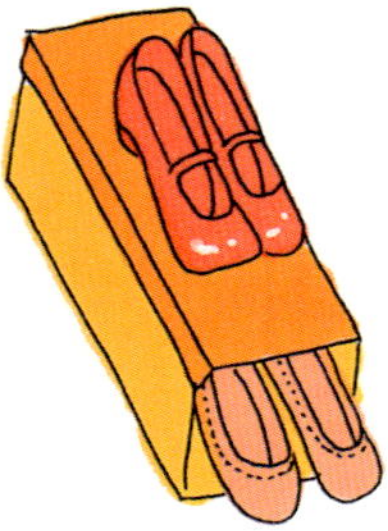

・テク2・突っ張り棒を使う

下駄箱の中に突っ張り棒を1本セットし、片方のかかとを棒に引っかけて並べると、片足分のスペースで両方の靴を収納可能。下駄箱の奥行きが狭い場合は、突っ張り棒を段違いに2本セット。それぞれの棒に、靴のかかとと甲の部分を引っかけ、立てた状態で収納できます。

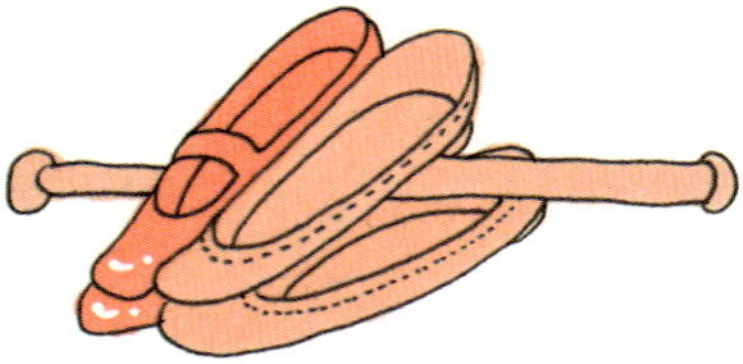

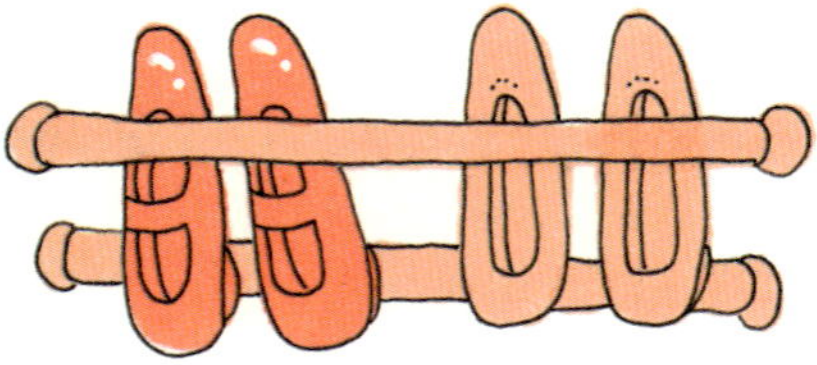

ブーツの収納法

ブーツハンガーを使う

壁と下駄箱の間などのスペースに
突っ張り棒を取りつけ、
ブーツハンガーで挟む。

大きな洗濯ばさみを使う

はさんだ跡がつかない素材なら、
突っ張り棒を使って、
大きな洗濯ばさみで吊るす。

段ボール箱を使う

24本入り缶ビールの
段ボール箱の口を開け、
ブーツを上下に差し込むだけ。
箱を立てて収納できるので、
下駄箱以外の場所に
収納するときも便利。
除湿剤・脱臭剤も一緒に入れて。

靴も衣替えをしましょう

季節はずれの靴は、別の場所に保管。
靴の箱の前面に写真を貼っておくと、
中身がわかりやすくて便利です。
１つの箱に、一方の面は冬用、
もう一方は夏用の写真を貼れば、
夏冬兼用で使えます。

冷蔵庫は永久保存庫ではない

安かったからいろいろ買っちゃった。
冷蔵庫に入れておけば大丈夫よね。
ちょっと
待った〜!!
ビクッ
食品は冷蔵庫に入れておいても、少しずつ鮮度を失っていくんだよ。
食品に食中毒菌がついていた場合は少しずつ繁殖し、食中毒をおこすこともあるんだ!
えっ
それに最近は保存料無添加の食品が増えていて、保存期間が短くなっているから、いつまでも冷蔵庫にしまっておくと賞味期限が切れてしまうこともあるよ。
冷蔵庫は『永久保存庫』ではなく『一時保管場所』。買ってきたものはなるべく早く食べようね。
冷蔵庫を過信しちゃいけないのね
それから、冷蔵庫にギュウギュウに物を詰めると、よけいな電気がかかって地球にもお財布にもやさしくないんだよ
これからはこまめに買い物して、鮮度のいいうちに食べるようにするわ!

冷蔵庫が苦手な食品もあります

「食品は何でも冷蔵庫へ」というのは大きな間違い。
冷蔵庫に入れると冷え過ぎて、
味が落ちてしまうものがあります。

ゴボウ
レンコン
イモ
バナナ
グレープフルーツ
マンゴー
パイナップル

イモ類・根菜類は、
冷蔵庫ではなく、
流し下の収納などの
冷暗所で保存。
なるべく早く使い切る。

熱帯で取れる果物は、
寒さが苦手。
常温で保存し、
食べる数時間前に
冷蔵庫で冷やして。

野菜室の残りモノ一掃

栄養たっぷり野菜スープ

定期的に冷蔵庫の
野菜室を点検し、
中途半端に残っている
野菜をみんな使って
野菜スープをつくりましょう。
トマトやコンソメなど、
お好みの味つけを。

かつおだしなら、
和風スープに

中華だしなら、
中華スープに

ルンルン食器洗い

汚れた食器たちが待ってます。サッサと楽しく洗いましょう。

好きなミュージックをかける

お気に入りの曲が入ったCDやMDをかけて、
「この曲が流れている間は頑張ろう!」と、
自分を励ましましょう。
1人分の食器洗いなら、
1曲を聴き終わるころには完了!

●余裕があるときは……

好きな曲をセレクトして、曲ごとに掃除場所を変えれば、
いつの間にかキッチンはピッカピカ!
例）　1曲目＝シンクまわり、2曲目＝ガス台、3曲目＝冷蔵庫

好みのグッズをそろえる

気がすすまない家事を
楽しくするには、
好きなグッズをそろえるのが一番!
スポンジや洗剤は、
可愛いものや機能的なものなど、
種類はいろいろ……。

洗剤は、容器に
入れ替えれば
おしゃれに。

シャンパン洗い

ピラミッド状に並べてシャンパンを注ぐ
「シャンパンタワー」。
これを食器洗いに応用します。
大皿、中皿、小皿と順に洗っていき、
最後に一気に水を流せば、すすぐ時間短縮！

水道代の節約
にもなって
一石二鳥です。

地球にやさしく

重曹、お酢、
レモン・オレンジの皮、
茶葉などの自然素材を使って、
食器洗いやシンクのお掃除を。
「地球にやさしいことをしている」
という満足感にひたれます。

レモン
酢
重曹

自分にごほうび

食器洗いが終わったら、
TVやDVDを見る、ヨガをするなど、
楽しみを用意しておく。
自分へのごほうびが待っていると、
ササッと片づける気になります。

ピンクの汚れは、黒カビ予備軍

ふ〜
ストレス発散には
お風呂が一番ねー
何だろうコレ。
カビじゃないよね。
黒くないもん
ま、いいか
ボワン
何いっているの！ピンクの汚れ
はカビ予備軍よ！放っておいたら
お風呂場中、カビだらけよ！
お風呂の
掃除、苦手
なんですぅ
ピンク色のうちは、簡単に
落とせるわ。洗剤を吹き
つけて、スポンジでこすり洗い
すればいい。パッキンや目地は
洗剤を古い歯ブラシにつけて
こするの
ふむふむ
忘れがちなのが小物の
掃除。椅子、手桶、洗面器、
フックも、カビが発生しがちよ
小物は掃除して
いなかったわ
ガンコなカビには、カビ取り
洗剤を使って。めがね、マスク、
手袋をつけて、換気に注意！
今度のお休みに
頑張ります！

甘〜い!!
え?、何?、何か間違ってる?
カビも、病気と同じで予防が大事なのよ
?
え〜・だってカビって勝手に生えてきちゃうんじゃ…
カビはね、寒い場所と乾燥が苦手なのよ
でも、お風呂ってあたたかくてジメジメしていますよねっ、
お風呂を出るときにシャワーで冷水をお風呂場全体にかけるの。そして、自分の体を拭いたバスタオルでチャッチャッと水気を拭き取っておくのよ
なるほどねぇ それなら簡単
後は換気扇を回せばOK! 湿気の多い季節は、一日中回しておくといいわよ
カビが生えてから掃除するより、カビが生えないようにすることなんですね。
そうそう じゃあ、頑張ってね!
ボワッ
勉強になったなー
ところであの人誰?
?

洗面台は明るく清潔に

鏡を磨く

鏡が曇っていると、顔色がくすんで見え、お化粧ムラもチェックできません。鏡はいつもピカピカに。

※ビネガー水（お酢を2〜3倍の水で薄めたもの）に、ハーブやエッセンシャルオイルで香りをつけ、鏡にスプレーして布で磨きます。

洗面ボールをキレイに

重曹の粉をふりかけ、少し湿らせた柔らかい布やスポンジで磨きます。蛇口の根元についた水アカは、ティッシュペーパーにお酢（原液）をふくませ、できれば一晩パック。その後、重曹の粉で磨けばすっきり！

PHP
注文カード

書店名

部数　　冊

PHP研究所　〈実用〉

毎田祥子　監修／岩上喜実　絵

快適！　わたしのお部屋

定価945円
本体900円
税5％

ISBN978-4-569-69188-6
C2077 ¥900E
9784569691886

売上カード

毎田祥子 監修
岩上喜実 絵

快適! わたしのお部屋

PHP研究所

〈実用〉
定価945円
本体900円
税5%

月 日

〈備考〉

BBBN4-569-69188-9 C2077 ¥900E

毎日「ついで掃除」を

洗顔のついでに、ビネガー水を
鏡と蛇口にシュッ、
洗面ボールに重曹をパッ。
そしてサッとこすればOK。
毎日掃除すれば、
ごしごし磨く必要がありません。

くし・ブラシもキレイに

重曹の粉をぬるま湯にとかし、くしやブラシを2時間程度つけおき。ほとんどの汚れは落ちますが、残った汚れも、古い歯ブラシで簡単に取り除けます。

洗面台下をすっきり収納

限られたスペースを有効活用するには、配水管をよけて組み立てられる組み立て式ラックがおすすめ。透明のかごに小物を収納すれば、中身もわかりやすくて便利。スライド式になっているラックもあります。

※配水管のパイプが邪魔なら、板をカットして棚板をつくってみては?

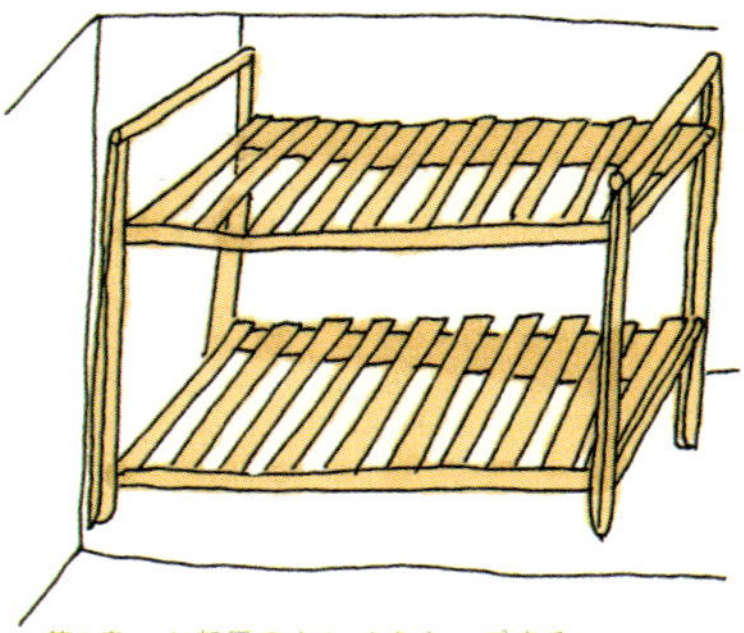

簡単トイレ掃除

風水では、トイレが汚いと幸せが逃げていくとか……。汚れやすい場所だからこそ、いつもキレイにしましょう。

STEP 1
掃除機をかける

床に掃除機をかけます。掃除機が使いにくい場合は、ハンディタイプのクリーナーが◎。

STEP 2 便器を磨く

便器の中にトイレ用洗剤をかけ、トイレ用ブラシでこすり洗い。便器のふたと便座の表・裏、便器のまわりは、洗剤をしみこませた雑巾で拭き、キレイな濡れ雑巾で仕上げを。細かい部分は綿棒を使うと便利です。

STEP 3 壁や床を拭く

硬くしぼった濡れ雑巾でドアノブ、水洗タンクを拭き、壁とドアを上から下に向かって拭きます。床は住まいの洗剤を雑巾にしみこませて、丁寧に拭きましょう。

こんなときどうする?

クエン酸

便器の黄ばみ

黄ばんだ部分に、
トイレットペーパーを2〜3枚重ね、
クエン酸水を吹きつける。
30分〜2時間程度パックした後、
トイレットペーパーを流し、
重曹の粉をふりかけて磨く。
2週間くらい続ければピカピカ!

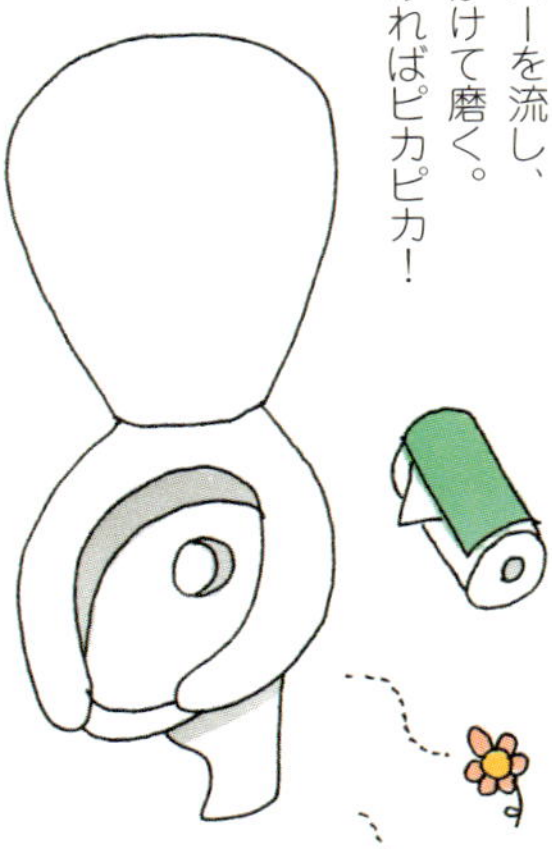

水受けの水アカ

水受けの周囲や蛇口を
トイレットペーパーで覆い、
クエン酸水をスプレーして、
できれば一晩パック!
トイレットペーパーをはがして、
重曹で磨く。

気になるニオイ

掃除の仕上げに、
エッセンシャルオイルを。
キレイな雑巾に数滴たらし、
便器などを仕上げに磨く。
ほんのりとした香りが漂って◎。

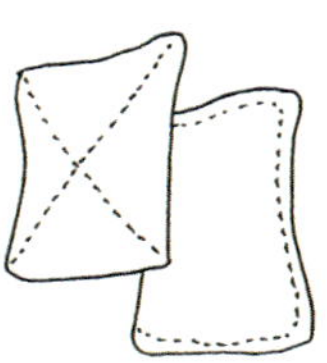

ラクラク大掃除テク

ちょっとした工夫で、無理なく大掃除できます。
キレイなお部屋で、新年・新生活を迎えるために頑張りましょう。

掃除する場所を書き出す

「シンク下収納」「玄関扉」「下駄箱」、掃除が必要な場所をピックアップ！
終わったところから花丸印を。

スケジューリング

書き込めるカレンダーに、掃除の予定日を記入。
余裕を持って作業を分散させると、「案外ラクそう」と思えてくる。

道具をそろえる

大掃除のときも、ふだんの道具（P32〜35参照）で大丈夫！
スポンジや洗剤を、新しくすると「やるぞ！」と、パワー全開！

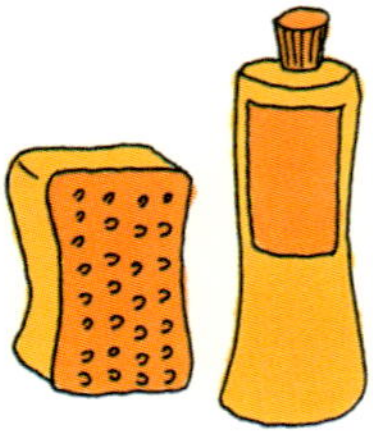

楽しい気分で掃除

黙々と掃除するのはＮＧ！
ＢＧＭとして、
好きな音楽をかける。
アップテンポの曲が
軽快に動けるので
おすすめ。

「ながら掃除」もＯＫ

電話でおしゃべり
しながら
掃除するのもテ。
相手も掃除中なら、
お互い励みになる。
時間を忘れて
お掃除できそう。

気分転換もあり

掃除に飽きちゃったら、
買い物がてら
散歩でもして
気分転換！
疲れた体を癒すため、
クイックマッサージ
もいいかも。

天気のいい日がチャンス

晴れた日には、
体も心も元気に。
あたたかい時間帯に
集中掃除！
「掃除したぞ！」
という達成感で、
いい気持ちになれる。

プロの手を借りる

換気扇やエアコンなど
ヘビーな掃除は、
ハウスクリーニング
サービスの利用もテ。

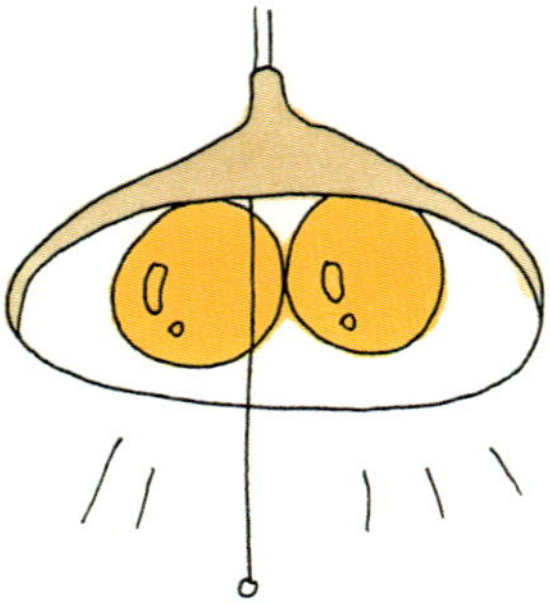

明るい光で、明るい暮らし

薄暗い照明の中にいると、
心まで暗くなってしまいます。
きちんと掃除をして、
明るい部屋で過ごしましょう。

照明器具が汚れていると、
明るさが低下します。
定期的に掃除をしましょう。

ひとり暮らしだと、
電球を取り替えるのを忘れがち。
古い電球は、
電気代がかかって不経済です。
地球にも、やさしくないですね。

ストレスがたまったときは、
キャンドルの明かりを灯してみて。
イラついた心が静まって、
ゆっくり眠れますよ。
注）火の扱いには気をつけて。

第4章

もっと快適にする簡単ヒント

「平日掃除」と「休日掃除」

掃除や片づけのコツがわかってすっ
キリッ
1週間後
何んか汚い…
平日
ただいまー…
休日
平日はクタクタだし
休日はつい他のことを…
いつもキレイにしたい。
…どうしたらいいんだろう

掃除は「平日掃除」と「休日掃除」の、2タイプに分けられるの。掃除するスペースや掃除の仕方を変えて、ムリなく続けるのがポイントよ！
なるほど…

サッ

■平日掃除■

「1日1カ所、1分だけ」が、
長続きしやすいのでおすすめ。
簡単な日々の片づけや、
ちょっとした拭き掃除など……。
テーブルやよく使う棚を、
ほんの1分程度、
掃除するだけでもOK！
「頑張らない」がキモです。

■休日掃除■

月曜日からの準備にあてます。
普段はなかなかできない
床拭きからはじめましょう。
その後、洗面台やお風呂、
トイレなどの水まわり、
普段汚れがちな部分をまとめて。
※クリーニングの受け渡しも、
休日ならではの作業です。

●「見直し日」をつくろう

日々の掃除、週単位の掃除だけでは、
通り一遍の掃除で終わってしまいます。
ときには、まったく別の視点から、
ピンポイントで部屋を見直してみませんか。
いろいろと改善点が見えてくるでしょう。

不用品の整理

古新聞・雑誌、着なくなった服や使わない雑貨など、余計なものをなくして、気持ちのいい1週間のスタートを。

玄関を掃除する

外掃除専用の小さなちりとり&ほうきを用意し、砂やホコリを掃く。下駄箱の整理など、部屋の入口もキレイにして、いい空気を入れましょう。

電化製品のホコリを取る

テレビやパソコン、冷蔵庫のホコリを拭き取る。ホコリがついたままだと、故障・事故などのトラブルや、画面が見えにくくなることも……。

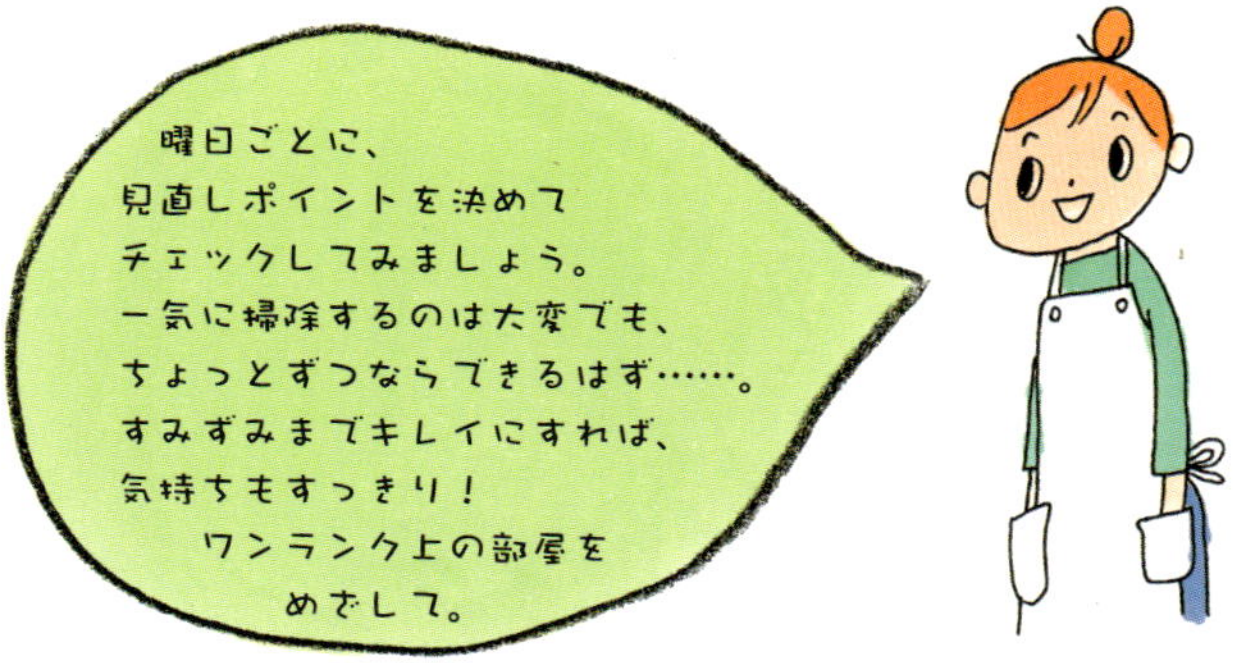
曜日ごとに、
見直しポイントを決めて
チェックしてみましょう。
一気に掃除するのは大変でも、
ちょっとずつならできるはず……。
すみずみまでキレイにすれば、
気持ちもすっきり！
ワンランク上の部屋を
めざして。

wednesday
Thursday
Friday
Saturday

窓ガラスや鏡を磨く

何となくいつもダルイのは、心が曇っている証拠かも。

お風呂場をチェック。

水まわりはカビや汚れがつきやすい。排水溝の髪の毛を取ったり、カビ取りをして、リラックスタイムを快適に。

キッチンを磨く

磨き剤でシンクを磨いたり、コンロまわりの汚れを落とす。毎日熱湯を流すと、排水口が詰まりにくくなる。

トイレをキレイに

便座マットや敷物の洗濯をし、トイレ用品の補給を。「普段の掃除は便座や床だけ」という人も多い。汚れやすい場所こそ、週1で徹底的に掃除。

キレイな空気を深呼吸！

部屋の掃除が済んだら、
空気も入れ替えて
もっと気持ちのいい部屋にしましょう。
換気のコツさえ知っていれば、
いつでも快適な空間をキープできます。

まめに換気をする

朝起きたとき、帰宅時、掃除のときなど、こまめに換気をして。特に室内が乾燥しがちな冬と、湿気の多い梅雨時は回数を多めに。1度の換気は10分が目安。

二カ所以上の窓を開ける

部屋全体に風が通るように、窓を二カ所以上開けて。それが難しい場合は、換気扇と併用を。

換気扇を併用する

アパートやマンションでは、窓が少なく換気ができない場合が。そんなときは、「窓開け＋浴室やキッチンの換気扇」でOK！ 風下にある換気扇だと、なお効果的です。

扇風機を併用する

風が通りにくい部屋の場合、扇風機で空気を循環させ、逆側の窓から空気を出しましょう。

窓の両側から風を通す

窓を開けるときは、真ん中に寄せるのがコツ。左右から風が入ることで、換気効率が高まります。

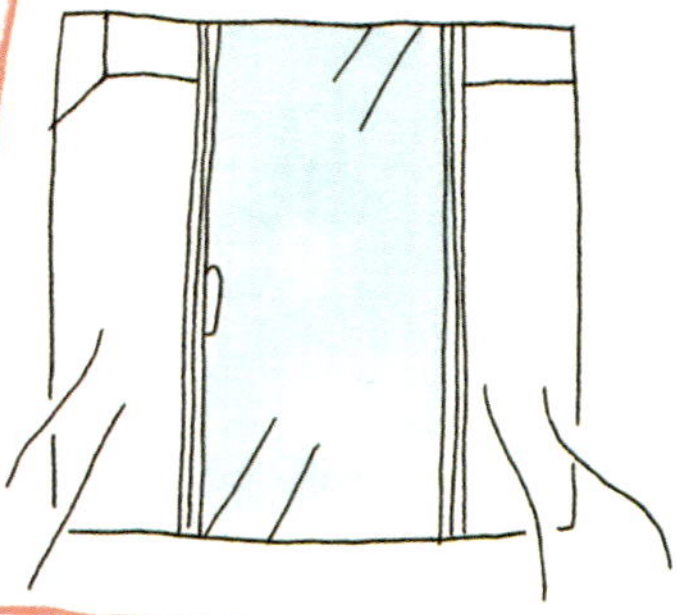

部屋の消臭対策をする

まめな換気が基本。ニオイの元となるゴミや汚れを取り除く（まめな掃除・ゴミ捨て）、マッチを擦る、石鹸を置く、消臭剤を置くなどの対策を。

1日1枚、プチ雑巾

キレイにしてるね
清潔に保つコツがあるのよ

部屋をキレイにキープするには、
こまめな掃除が大切！
でも、雑巾を洗うのは面倒だし……。
そんなあなたに、
使い捨ての「プチ雑巾」がおすすめ。
古くなったタオルを小さくカットし、
汚れを拭いたら、ゴミ箱にポイッ！
気がついたときに、
すぐお掃除できます。

使ったらポイ

プチ雑巾の活用法

ガスコンロや蛇口を拭く

すぐ汚れる部分なので、
こまめな掃除がポイント。
そのまま放っておくと、
ガンコな汚れになって、
落とすのは至難の業！
気になったらすぐ拭けば、
いつでもピッカピカ！

テーブルや棚を拭く

水で濡らしてサッと拭けば、
即キレイに……。
時間がたった食べこぼしは、
洗剤を含ませて、
その部分だけ落とし、
後はゴミ箱にポイッ！
急な来客にも
あわてずに済みます。

「プチ雑巾」おしゃれ収納BOX

お気に入りのお菓子の箱などに、
プチ雑巾を入れておくと、
ちょっとおしゃれなインテリアにも……。
無地の箱に、好みの包装紙や和紙を貼って、
オリジナルな箱をつくってみては？

料理上手になるレイアウト

機能的なキッチンにすれば、
調理の手順もよくなり、腕もアップするはず……。
調理器具の配置（鍋、フライパン）、
小引き出しの整理（カトラリー）、
食器棚の整理にちょっとした工夫をして、
エンジョイ・クッキング！

動線を考え、まとめ置き

モノを配置する基本は、
「使うそば」に、
同じものはまとめて置くこと。
フライパンや鍋、
フライ返しなどはコンロのそばに。
洗剤類は水道のそばに。
動線を考えて置いてみよう。
よく使うものはしまいこまず、
出しておくのもテ。

間仕切りのマジック！

引き出しは間仕切りを使うと、
細かいものがバラバラにならず、
見た目もすっきり！
空き箱や市販の仕切り板を使って、
キッチン用品を納めよう。

食器は出番順に、手前から配置

毎日使うものは
取り出しやすい手前に、
あまり使わないものは奥にしまう。
さまざまな大きさの食器を
収納するには、
間仕切りの位置を換えられる
タイプが便利。
マグカップは、
カーテンレールを取りつけ、
フックに吊るすと収納力アップ！

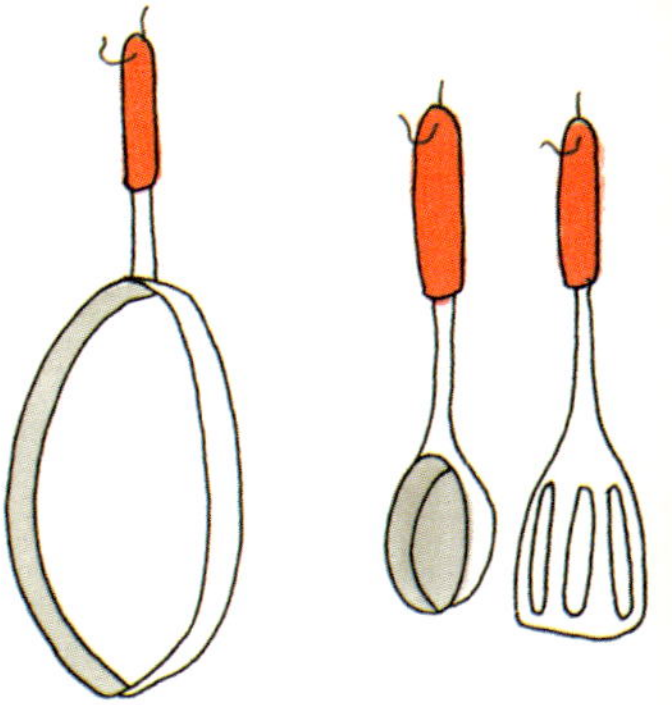

乾物や粉類は収納しない

シンク下も間仕切りを使って、
スペースを無駄なく使う。
細かい調味料はケースに収納、
透明ケースやラベルを貼って、
中身がわかりやすいようにしておく。
湿気が多いので、
乾物や粉類は入れない方が正解！

食器棚の「朝ごはんセット」って?

1
ねむい…
2
何着よう…
食べる時間がない!
3
お腹すいた…
4
朝ごはんセット用意したら?
朝ごはんセットって?

★時間があるとき、つくり置きを

肉味噌

にんにく・ショウガをみじん切りにして、ごま油で炒め、牛ひき肉を加えてさらに炒める。最後に、砂糖、酒、しょう油、味噌で味をととのえる。→ご飯や豆腐に乗せて食べると美味!

野菜スープ

冷蔵庫にある野菜（キャベツ・玉ねぎ・トマトなど）と、ベーコンを食べやすく切り、洋風ダシの素で煮る。塩・コショウで味を整える。食べるときに火を入れて。

食器棚に、朝ごはんで使う食器を、一カ所にまとめておくと、
忙しい朝も、時間を短縮！
晩ご飯の片づけをするときに用意しておけば、スムーズに。
洋食、和食、お好みに合わせてどうぞ。

●洋食●

飲物用のマグカップ、おかず・パン用の皿、スプーンやフォークをまとめておく。

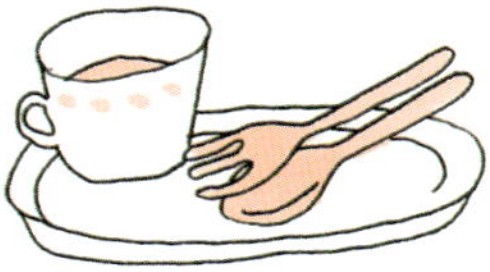

●和食●

ご飯茶碗やお椀、箸や湯飲み茶碗など、いつもの献立に合わせてセット。

★レンジで簡単クッキング

スープおじや

濃いめにつくったカップスープにご飯を入れてレンジでチン。洋風おじやの出来上がり。スープの味でアレンジがきく。また溶けるチーズやパセリを加えてもおいしい。

★レンジで解凍するだけ

好みの冷凍食品を用意

レンジで解凍してすぐ食べられるものを買っておく。ホットケーキ、ワッフル、マフィン、チヂミなど、お好みで。時間のあるときに、つくっておいて冷凍しておくのもGOOD！

ゴキちゃんが、そっぽ向く部屋

ときどき出没するけど、
決して仲良くなれないもの。
それは「ゴキちゃん」ことゴキブリ。
せっかくキレイにした部屋も、
ゴキちゃん登場！　では台無し……。
深夜、ひとりで格闘するのもキツイ。
そこで、ゴキちゃんの撃退法を
探ってみよう。

掃除・整頓を心がける

部屋を衛生的に保つことが第一！
特に台所や洗面所などの水まわりは、
ゴキちゃんが好きなものがいっぱい。
掃除をした後、水分をしっかり
拭き取っておきましょう。

エサとなる食べ物を置かない

お菓子や、果物を放置しておくのは
「いらっしゃい」と、
手招きしているようなもの。
冷蔵庫にしまったり、
封をするなどして。
食べこぼしやゴミも
格好のエサとなります。

侵入路をふさぐ

集合住宅の場合、
自分の部屋をキレイにしても
建物に棲み着いている場合が……。
排水口は使わないときは蓋《ふた》をし、
天窓や押入れ・換気扇の隙間を
ふさいでおきましょう。

ゴキちゃんにも好き嫌いが

キッチンに登場してほしくなければ、好きなものを与えず、嫌いなものを増やせばいいわけです。

食べかす、水。
特にビールと玉ねぎが大好物！

※基本的に雑食性なので、食べ残しや紙、髪の毛、動物のエサや糞など何でも食べます。

ホコリや、
ヒノキの香り
が大嫌い！

対策グッズを使う

それでも、ゴキちゃんが出没したときは、対策グッズを使うしかありません。粘着剤やホウ酸団子などは、スーパーやドラッグストアで購入できます。

生ゴミのニオイを防ぐ

生ゴミが出るから料理はしたくない。
その気持ち、よくわかります。
特に、魚やタマネギを処理した後は、
いや〜なニオイが気になります。
簡単な生ゴミ処理法で、
快適キッチンをめざしましょう。

生ゴミ処理の３原則

1 他のゴミと分ける。
2 水気を切る。
3 水分が漏れないように捨てる。

水分カットのコツ

◇汁物の料理が残ったら、ザルなどで水分を切り、固形物を捨てる。
◇キッチン用水切りネットを使う。
◇茶がらは、絞ってから捨てる。
◇料理をするときは、野菜や果物は皮をむいてから洗う（ゴミにつく水分が少量で済む）。

簡単消臭法

◇エタノールや重曹をかけると、消臭効果がある。
◇特にニオイやすい夏場は、臭くなる前に密封し、収集日まで冷凍するのもテ。

スクレーパーを活用

フライパンやお皿についた汚れ（生ゴミの元）を取るには、スクレーパーが便利。ヘラ部分で吸いつくように汚れをこそげ取る。シリコン製なら調理直後の高温時でも使用可能。地球にやさしいし、ニオイ対策もバッチリ！

◆ 新聞紙BOXのつくり方 ◆

野菜くずは、すぐに新聞紙BOXへポイ!
台所を汚さず、ニオイも防げます。

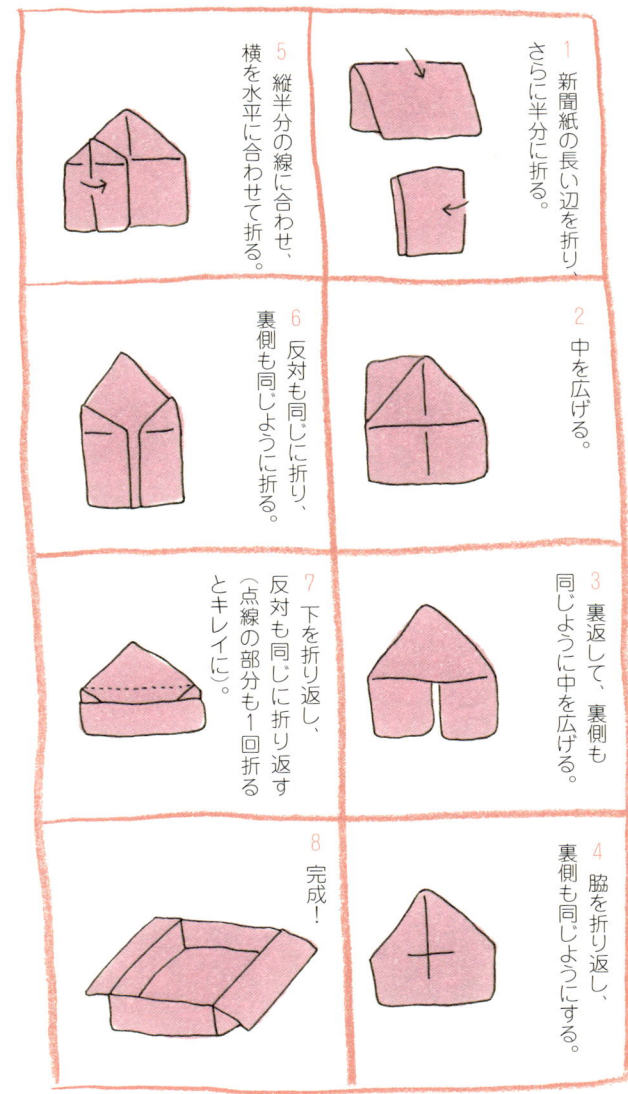

1 新聞紙の長い辺を折り、さらに半分に折る。

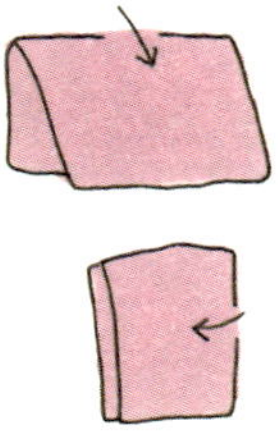

2 中を広げる。

3 裏返して、裏側も同じように中を広げる。

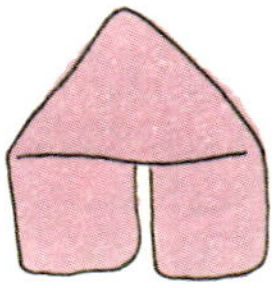

4 脇を折り返し、裏側も同じようにする。

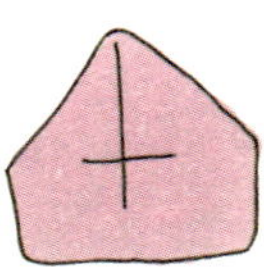

5 縦半分の線に合わせ、横を水平に合わせて折る。

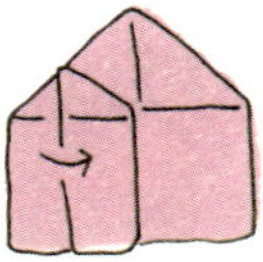

6 反対も同じに折り、裏側も同じように折る。

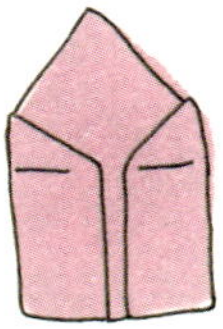

7 下を折り返し、反対も同じに折り返す(点線の部分も1回折るとキレイに)。

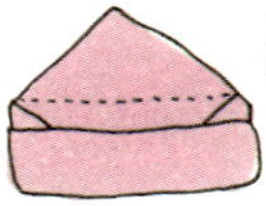

8 完成!

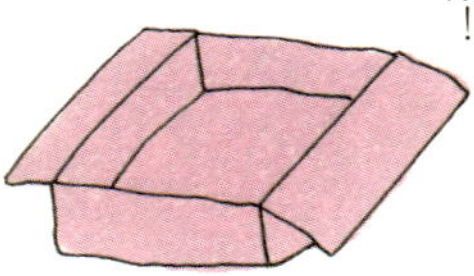

留守がち部屋の湿気対策

梅雨の季節は、カビの天国。
あたたかい空気と湿気が、
カビをどんどん繁殖させます。
特に、留守がちの部屋は要注意!
一日中、閉めっきりで、カビの温床になります。
イヤなニオイがするし、健康にもよくないカビ。
増える前にシャットアウトしたいですね。
あなたのカビ対策知識をチェックしてみて。

あなたの部屋のジメジメ度チェック

1	「家にあまりいないし、賃貸だからカビなんて平気」。換気や掃除は滅多にしない。 →×　部屋がカビだらけになったら、敷金がぜんぜん戻ってこないことも。
2	外に洗濯物が干せないので、室内に干している。 →△　除湿機やエアコンのドライ機能を利用。浴室の換気扇を回しっぱなしにし そこに干すなど、湿気をこもらせない対策を。
3	雨の日でも換気をしている。 →×　雨が降っているときは、湿った空気を室内に入れないことが基本。
4	梅雨の晴れ間に、窓を開けて換気している。 →○　換気と除湿は大切。クローゼットや押入れも開けると効果的。
5	カビは、ホコリやフケなどを栄養として繁殖する。 →○　不衛生にしているとカビが生えやすい。こまめに掃除機をかければ防げる
6	カビが発生する原因は、湿度と温度と栄養分である。 →○　湿度65%以上になると、カビが発生しやすい。掃除や換気をまめに行う。 留守がちだったり、建物の構造上通気性が悪い場合は、除湿機を使おう。
7	お風呂の湯は後で使うので、湯は入浴後もためたままにしておく。 →×　浴室は湿度が高く、石鹸カスやアカで、カビの天国。入浴後は浴槽にお湯 残さず、タイルや壁を洗い、窓を開けたり換気扇を回して早めに乾燥させ

0〜2
あなたの家は、すでにカビが発生？　もう一度読み直して、ジメジメ部屋とサヨナラしよう。

3〜5
ある程度、湿気について知識のあるあなた。間違えたところは、今日から実行すれば○。

6以上
湿気対策はかなり実行されているようです。これからも忘れず行いましょう。

カビの予防法
◇湿気を取る
◇風通しをよくする
◇日光消毒をする
◇汚れを落とす

あなたはいくつ正解しましたか？
正しい湿気対策を知って、カビを予防し、健康で快適な毎日を送りましょう。

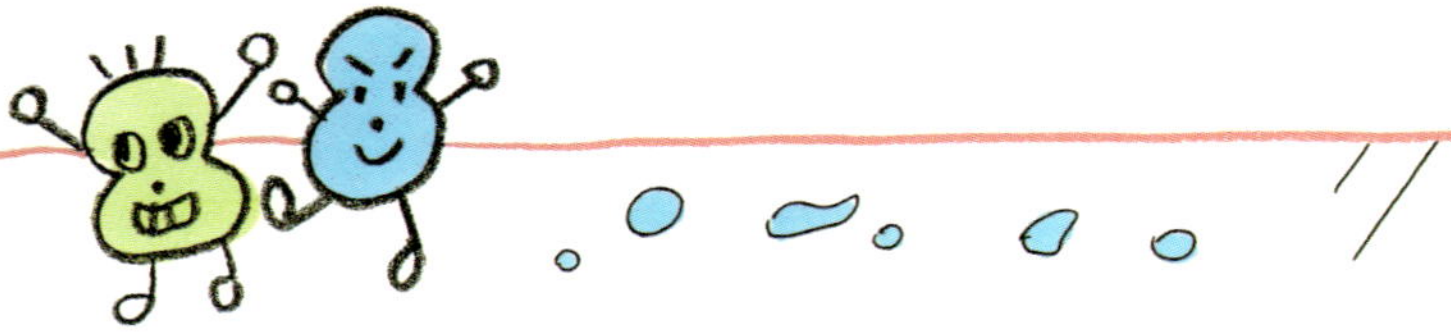

結露を防ぐコツ

朝起きると窓についている水滴。
あたたかく湿った空気が、冷たいガラスにふれると、
「空気」が「水滴」に変化して結露に……。
湿気が多くて、空気の流れが悪く、
外気と室内の温度差が激しいと、発生しやすくなります。
機密性の高いマンションは、結露しやすいので要注意！

結露の原因になるのは

◇お風呂場やキッチンの湿気
◇灯油やガスを使う暖房器具
◇人やペットの呼吸・発汗
◇室内干しの洗濯物
◇観葉植物など。

結露を放置しておくと

「ガラス窓に水滴がついても、どうってことない」なんて、あなどっていませんか。
結露はカビやダニの発生を促し、健康にも悪影響が……。
上手な防止策・対応策を知って、爽やかな部屋にしましょう。

◆防止策◆

換気をする

窓を開けて換気をしたり、
換気扇を回しましょう。
特に、キッチンや、
お風呂場の換気扇を回せば◎。
定期的にすることを忘れずに。

上手な暖房器具選び

燃焼タイプの暖房器具は、
燃焼中に水蒸気を放出します。
水蒸気を出さない、
エアコンや床暖房がおすすめ。
湿度や温度を
上げ過ぎないようにしましょう。

洗濯物を干さない

洗濯物を室内に
干さないことも心がけて。

★対応策★

新聞紙で吸い取る

できてしまった結露には、
新聞紙を貼りつけて
吸い取らせる方法が……。
夜寝る前に貼りつけて、
朝はがすときに、
窓を磨けばピカピカに。

雑巾で拭く

結露したガラス部分を
雑巾でサッと拭き取って、
そのまま掃除してもいい。

部屋干しのコツ

洗濯物は太陽の光にあてて、パリッと乾かしたい。
でも、忙しかったり、お天気が悪かったりすると、
ついつい部屋干しに……。
手間をかけて干して、「やっと乾いた！」と思うと、
イヤ～なニオイ！　そんなことはありませんか。
室内に干しても臭わず、
気持ちよく乾かすにはどうしたらいい？

洗濯物のニオイの原因

洗濯機でも、100％汚れが落ちるわけではありません。あのイヤ～なニオイの原因は、残った汚れが生乾きのとき、雑菌の繁殖や酸化によって起きます。

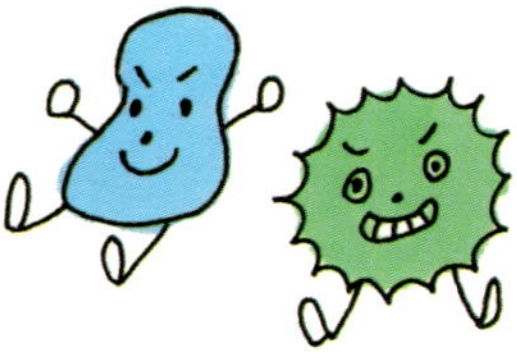

1 臭わない洗濯法

◇洗濯機に詰め込みすぎない。
◇洗濯後はしばらくフタを開けておく。
◇1～2カ月に1度は、洗濯槽クリーナーで洗浄。
◇除菌効果が高い「室内干し用の洗剤」がおすすめ。

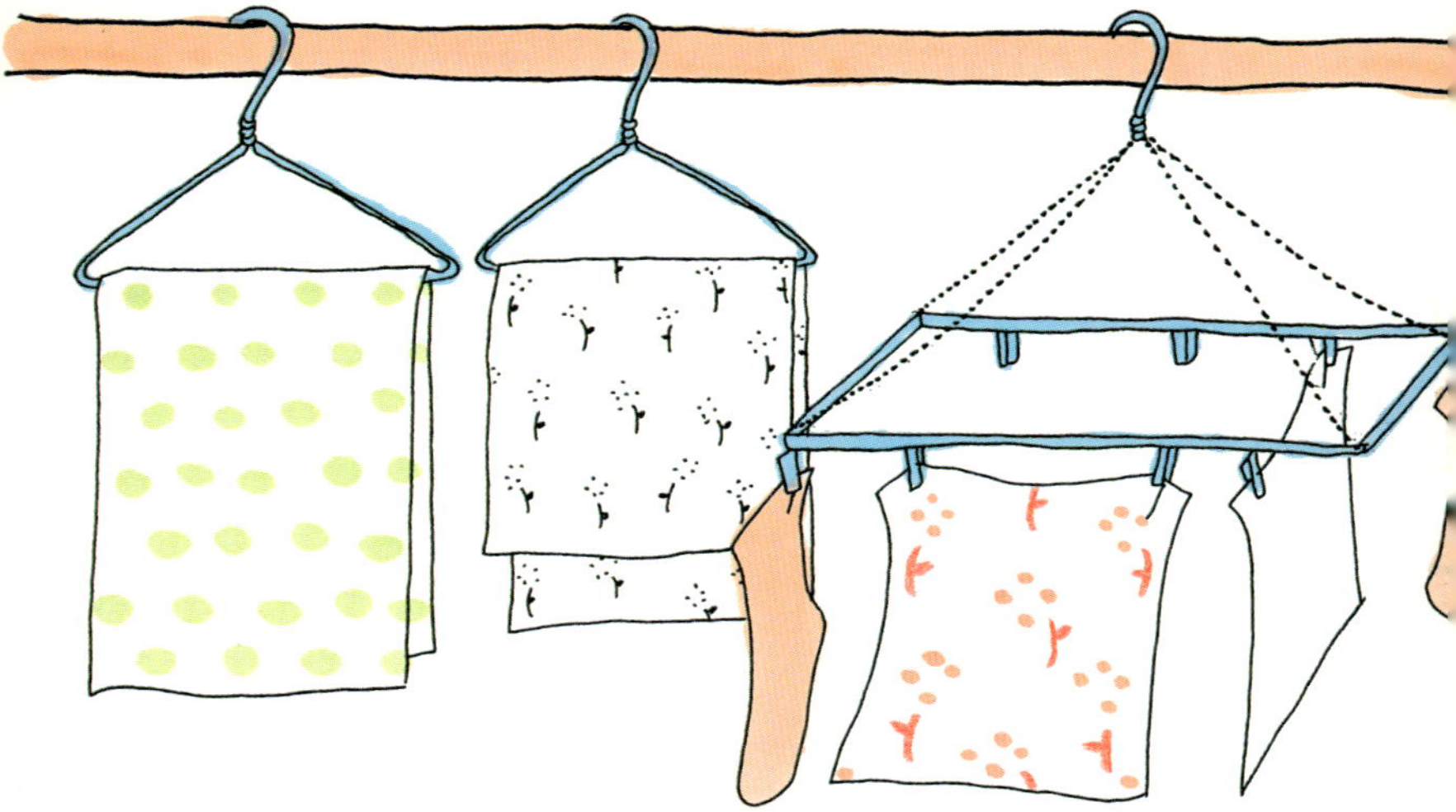

部屋干しで臭わない5つのコツ

2 洗った後、すぐ干す

洗い終わったら、いつまでも洗濯機に入れっぱなしにしておかない。

3 アイロンを上手に利用

ハンカチなど薄手のものはアイロンだけで乾く。干すスペースが節約でき、洗濯物同士の通気性がよくなる。

4 早く乾かす

洗濯物を広げてそれぞれを離して干す。ドアは開け、換気扇やエアコン、扇風機を活用して換気をよくする。

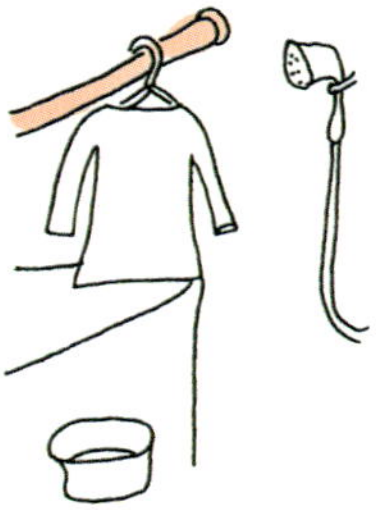

5 浴室で乾かす

浴室で乾かすのもテ。ただし、必ず換気扇を回すこと。

特殊な汚れは、こう落とす

ふだんは気づかなかったのに、
ふと手にしたら、「こんなに汚れていたなんて……」。
お気に入りのアクセサリーの黒ずみや、
飛び散ってしまったカラーリング剤など、
掃除方法がわからなかったり、
ふつうの洗剤では落ちないものもあります。
そんな特殊な汚れを、本体を傷つけず、キレイにする方法を紹介します。

黒ずんだシルバー(ステンレス)製品

重曹を加えた水で洗い、磨くとキレイに。
歯磨き粉をつけた古歯ブラシで
磨いてもいいです。
磨いた後は洗い流すことを忘れずに。
ロジウムメッキなどは、
表面のコーティングを
はがすこともあるので気をつけて。
日頃から、使った後はやわらかい布で
拭き取り、密封保存しておきましょう。

焦がした鍋

タワシやクレンザーで
こすってもいいですが、
ホウロウの鍋などは傷がつきます。
重曹と水を入れて煮立て、
グツグツして茶色くなってきたら火を止め、
冷めてから洗うとキレイに落ちます。
また、焦げた部分に塩を広げて煎《い》り、
木べらではがす方法も……。

ステンレスのもらい錆び

クリームクレンザーでこすった後、
水で濡らした雑巾で
クレンザーを拭き取り、
空拭きして十分乾燥させます。
ふだんから、水分や油分の汚れは
まめに拭き取り、
ヘアピンや包丁、空き缶など、
錆びやすいものを
置きっぱなしにしないように。

バスルーム・洗面台に付着した毛染め剤

塩素系の液体漂白剤をつけて、
古歯ブラシなどでこすり、
水でよく洗い流す。
汚れがひどいときは、
ラップでパックしましょう。
落ちにくくなる前に、
ついたら即対応がポイントです。

ちょっとエコ
ムダOL
TOILE
ただいま
室外機？
どこにあるんだろう？
♪～
プレゼント用ですか？
ハイ（違うけど）
1カ月後
通帳
お金が貯まらないなぁ

P110参照

お財布は、心の部屋

毎日、何気なく使っているお財布。
買い物のときなど、結構見られているものです。
迷いが多い人は、中身も混沌としている。
お財布は、あなたの「心の部屋」といえるでしょう。
お金の管理や支払いがスムーズだと、人間関係も良好になります。

キレイな人は生き方も明確、
お金も貯まっています。
中身を定期的にチェックして……。

週に1度、お財布の整理

◎必要な領収書は保存。
不要レシート、期限切れの
ポイントカードなど、
使わないものを捨てる。

◎使用頻度の低いカードは、
カードフォルダへ保存。
必要なときだけ財布へ。

※お金の管理だけでなく、
何にどれだけ使ったかを
把握することで、
自分の人生をマネジメント
することになります。

第5章

暮らしを楽しむプチ・アイデア

掃除しやすい部屋にする

モノを減らしてシンプルライフを心がけることが、掃除しやすい部屋をつくるコツ。

1 モノを置かない

テレビやテーブル、ローボードの上など、ついついモノが氾濫して……。平らなスペースに、なるべくモノを置かないようにしましょう。

2 隙間に詰め込まない

本棚の隙間や、家具と家具の間、ベッドやソファの下など、空きスペースをむやみに収納に使うのは、掃除しにくくなるのでNG！

3 ホコリの発生を防ぐ

布製品はホコリが付きやすく、ハウスダストを発生させる原因にも……。カーペット、ラグ、ぬいぐるみ、クッション、タペストリーは、あまり増やさない方が無難です。

キレイな状態をキープし、次の掃除の手間を省くためのちいさなアイデアです。

汚さないための工夫

ドアポケットに、キッチンペーパーを巻いた厚紙を敷く。

↓

ドレッシングや調味料の液ダレ汚れを防止する。

底の部分にアルミホイルを敷く。

↓

汚れたらアルミホイルごと取り替えれば、簡単キレイ・・

油汚れしやすい部分に、難燃性の粘着シートを貼る。

↓

汚れたらシートを取り替えるだけ。アッという間に、新品同様に…。

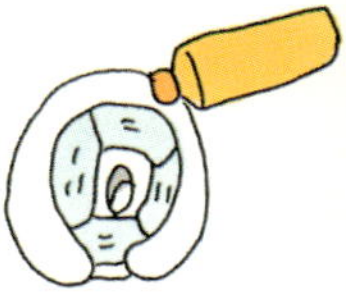

就寝前、便器の内側にトイレットペーパーを敷き、トイレ用洗剤をかけておく。

↓

一晩つけ置き。翌朝水を流すだけで汚れが落ちる。

広く見える部屋づくりって？

1 床を見せる

家具の輪郭のラインがそろわないと、
部屋が狭く見えてしまう。
大きな家具（テーブル、ソファ）は、
壁際に寄せて配置すれば、
床の面積がより広く見えます。

2 壁を見せる

低めの家具をそろえ、
壁面を多く見せます。
背の高い本棚や食器棚は、
上段に行くほど棚板の間隔を
狭めましょう。

壁に絵を飾るときは、
壁面のバランスが大切。
大き過ぎると圧迫感があり、
小さ過ぎると貧弱になります。
何点か飾る場合は、
額縁の上下どちらかのラインを
直線にそろえて。

3 奥行きを見せる

鏡は部屋を広く見せてくれる
ミラクル・アイテム！
ドアと同じくらいの
大きな鏡を置くと、
奥にもうひとつ部屋があるような
錯覚効果も……。
サイドボードやAVラックなどの、
背面を鏡にするのもいいかも。

●広く見える家具配置

○→入口から一番遠い所に、背の高いものや、インパクトのあるものを置く。
部屋に入ったときに、まずそこに目が行くようにすると、部屋の奥行きが強調されます。まっすぐ対角線上に目が行くように、間に障害物を置かないこと。

×→部屋の入口付近に背の高い家具を置くと、圧迫感があり、部屋が狭く見えます。

ベランダのガーデニングは、景観として利用したい。
窓越しにグリーンが見えるだけでも、空間に広がりが感じられます。

●広く見えるカラー

実際より近くに見える色（＝進出色）と、遠くに見える色（＝後退色）があります。

赤、オレンジなどの暖色系が進出色、青を中心とした寒色系や淡い色、くすんだ色などが後退色。

部屋を広く見せるために、後退色でコーディネートするのも、ひとつの方法です。

白に近い明るい色も、開放感があるので広く見えます。

カーテン、カーペット、ソファなど、大きい面積のものは、色をそろえてすっきりと。

進出色

後退色

プチ風水

健康運を上げたいあなたは、ガーデニングがおすすめ。「土」の気から、健康がもたらされます。

素焼きの陶器は、体のバランスを整えるアイテム。

ベランダに、テラコッタの鉢植えなどを、さり気なく置いてみては？

くつろげる部屋づくり

♥間接照明で ムードを盛り上げる

フロアスタンドや
シーリングライトを使うと、
ムードたっぷりの
リラックス空間に早変わり！
白熱球や暖色系の蛍光灯なら、
ゆったり癒されます。

♥キャンドルを灯す

心をなごませるチカラがある
キャンドルの炎。
疲れたな～と感じたら、
アロマキャンドルを灯して、
ぼんやりと過ごすのも◎。
くれぐれも、火をつけたまま
寝ないように注意！

♥音楽で癒される

リラックスしているときは、
脳がまどろんだ状態になり、
α波を出すとか……。
風、川のせせらぎ、波の音、
虫の鳴き声など、
自然界の音やリズムには
α波を出しやすくする効果が。
ヒーリングサウンドを集めた
CDがおすすめ。
好きな音楽なら
リラックス効果大！

♥ベッドリネンにこだわる

心地よいリネンは、
最高のリラックスを
与えてくれます。
質の良い睡眠のためにも、
麻や木綿など、
自然素材のものがおすすめ。
枕にもいろいろな高さや
材質があるので、
気持ちのいいものを選んで。

♥香りでリラックス

心身ともにリラックスしたいとき、
やわらかくてやさしい香りで
部屋を満たしたい。
就寝前には、
ラベンダーやローズなど、
フローラル系の香りを楽しんで。

♥花や植物で癒される

生きた植物には、
大地の生命力が宿っています。
花を見て心がなごむのは、
花の色や香りに
大地の生命力があるから。
緑は目の疲れや心身を癒し、
リラックスさせてくれます。
観葉植物はカビの胞子や
バクテリアを抑制・浄化させ、
水蒸気を発生して、
適度な湿気を保ってくれます。

涼しく過ごす

窓の前の空間に影をつくる

ベランダやバルコニーに、よしずや、すだれをかけて、日陰をつくりましょう。
クーラーをつけていても、カンカンに日があたっていると涼しくなりません。
室外機を日陰に置くと、冷房効率もよくなります。

※窓を開けて風を入れるなら、網戸にしましょう。
風上と風下を開けると、風が抜けやすくなります。

“緑のカーテン”を日除けに

植物を日除けにすると、植物が蓄える熱量がよしずや、すだれよりも低いため、さらに涼しく感じられます。葉の大きいゴーヤや、ヘチマが◎。プランターは、直射日光があたらないよう内側に置いて。広い面のカーテンをつくるなら、緑化ネットなどを使って、枝を横方向にも誘引！
※5月上旬に苗を植えておくと、7月下旬に葉がつきます。秋から冬にかけてネットを外し、部屋に日光を入れましょう。

打ち水で熱を冷ます

ベランダにも打ち水をすると、日中に蓄えられた熱を冷ますことができます。朝晩のちょっと涼しくなったころに水を撒くのが効果的。日の高いうちに撒くと、その水も日射で熱せられて逆に蒸し暑くなります。そんなときは日陰に撒くと◎。打ち水には雨水をためたものや、お風呂の残り湯を使うと、水の節約・再利用にもなります。

定番夏の涼

金魚を飼う

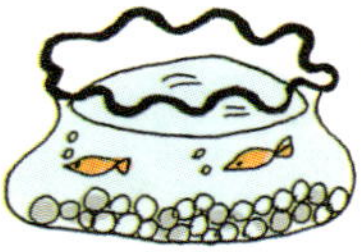

できるだけ大きめサイズの水槽を選び、
汲み置きした水を2日に1度交換します。
水道水にはカルキが含まれるので要注意！
エサは様子を見ながら、1日に1〜2度与えます。
水槽には、水をたっぷり入れて。
窓際など温度の上がる場所に置くのは、
避けましょう。

あたたかく過ごす

もっと！ 暖房器具 あたたかい使い方

エアコンのルーバーは下向きに

あたたかい空気は
上にたまります。
エアコンのルーバーを
下向きにすると、
部屋の上下の温度差が
少なくなって、
部屋全体があったか。

2週間に1度はフィルター掃除

エアコンのフィルターに
ホコリがたまると、
風量低下で、暖房効率が悪くなり、
電気のムダ遣いに。
2週間を目安に、
こまめにフィルター掃除を。

敷いて掛けて、あたたかさ補強

電気こたつは、フローリングの上では、
暖房効率が悪くなったり、
床が変色することも……。
敷物やマットはもちろん、
厚手のカーペットや上掛けを併用すると、
少ない消費電力で、
あたたかく過ごせます。

1人用こたつで ぬくぬく！

天板つきのものから、
毛布を1枚かけて
簡単に使えるものまで、
種類いろいろ。
狭い部屋でもぬくぬく。

置き場所を工夫

電気ストーブや
ファンヒーターは、
窓側を背にして置いてみて。
暖気が冷気を押し上げ、
空気が対流し、
効果的な暖房ができます。

体の熱を、逃がさない工夫

もっとも寒さを感じやすいのは、
首・肩、腰や、手のひら・足の裏など……。
外気にさらされたり、衣類の隙間があったり、
床に近いからです。
熱放出を効果的に抑えることがポイント！

首	首元をあたためると、体感温度がup!　タートルネックやマフラーでガードする。
肩（上半身）	薄手のシャツなどを何枚か重ねると、衣類の間にある空気層が、体温によってあたためられる。
腰（下半身）	下半身をあたためると、体全体があたたかくなる。ウエストウォーマーや使い捨てカイロを。
足首・足裏	全身のツボが集まる足裏は、血液の循環に重要な役割が。靴下の二重履きやルームシューズが◎。

建物にも、熱の逃げやすい部分が

窓やドアなどの開口部は、あたたかい空気を放出しがち。
あたたかい空気は上に、冷たい空気は下に流れるので、
床面は特に冷えやすくなります。

窓・ドア	冬の夜間は雨戸を閉める。ない場合は、断熱スクリーンや断熱性の高いカーテンで、寒さを防ぐ。
床	床面にカーペットやクッションシートなどを敷き、足元の温度を上げる工夫を。

季節感を楽しむ

玄関、リビング、トイレなど、
ちょっとしたスペースを使って
「季節を楽しむ小さなコーナー」を
つくってみましょう。
季節の植物を寄せ植えしたり、
旬の花をアレンジメントにしてみたり……。
一輪差しでもOK!
四季のある国に生まれたのだから、
楽しまなきゃソン!

一輪

アレンジ

寄せ植え

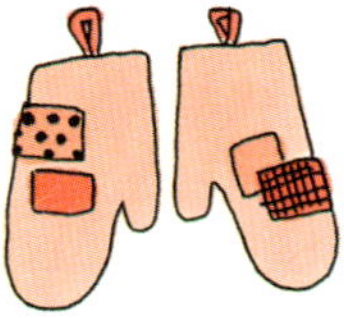

プチ風水　季節の雑貨を飾る

季節感のあるものには「旬」があり、
強い運気が宿っているのだとか。
季節ごとに雑貨を替えると、運のいい空間に……。
逆に、季節はずれの出しっ放しは、
チャンスに弱くなるのでNG!
来年まで、布や和紙など通気性のよい素材に
包んでしまっておきましょう。

小物づかいで 季節感を演出する

◆絵・写真・タペストリー

花や自然をモチーフにした風景画は、
空間に生気や潤いを
与えてくれます。
散歩に出かけたとき、
キレイなお花をパチリ！
フォトフレームに入れて、
季節ごとに並べるのも素敵！
タペストリーは、
布の持つあたたかみが、
寒い季節にぴったり。

◆ランチョンマット

食卓に季節感を採り入れたいときに、
手軽なアイテム。色・柄・素材で
季節感を演出してみて。
春は和紙やレース、夏は竹やストロー素材。
秋はフルーツ柄や、もみじを漉《す》いた和紙も。
冬は赤＆緑のクリスマスカラーもGOOD！

◆花・観葉植物

疲れていたり、落ち込んでいたり、
ハッピーなときばかりではありません。
そんなとき、花や植物は気持ちを癒してくれます。
風水でも、女性は花を飾ることで、
運に恵まれるとか…。
春・夏はチューリップやバラをアレンジメント、
秋・冬はシクラメンやポインセチアの
鉢植えはいかが？

ネイルで楽しむ プチ・季節感

指先を季節感で彩る、ネイルアート。
サロンで本格的に！　もいいですが、
ちいさな花模様や月と星など、
自分でチャレンジしてみるのも楽しい！

春と夏を味わう部屋

春

花びらを、
お皿のすみに飾って、
料理の彩りにも。

桜の花びら

花びらを拾ってそっと洗い、
水を入れたグラスに浮かべて
インテリアに。
シャンパングラスがおすすめ。
眺めながら、思い出に
ひたるのも素敵！

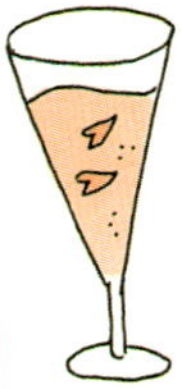

春はお花屋さんも
カラフル！
自分のために花束を
買って部屋に飾るのも
good!

パステルカラーの雑貨

パステルピンクの食器や
クロスを、春限定で使ってみる。
ゲストがあるときは、
紙ナプキンや
コースターなど、
ちょっとした小物を
春らしい色や
デザインに。

切り花を長持ちさせるコツは、
茎をよく切れるハサミで
斜めにカットし、
葉の量を減らすこと。
水は毎日取りかえて清潔に。

夏

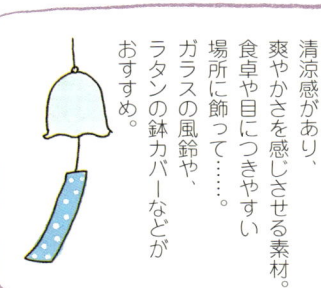

目で涼む和小物。
すだれや、うちわを
飾りに「涼」を演出。

ガラス素材・ラタンの小物

清涼感があり、
爽やかさを感じさせる素材。
食卓や目につきやすい
場所に飾って……。
ガラスの風鈴や、
ラタンの鉢カバーなどが
おすすめ。

海で拾った貝殻をビンに入れて
涼感を味わう。
部屋やバスルームに、
無造作に置いても、
夏らしいテイストに……。

手づくり涼みアイテム

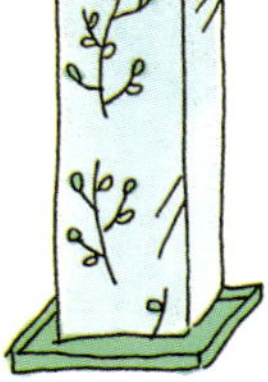

牛乳パックに、
ハーブと水を入れ、
凍らせて氷柱に。
ひんやり冷たい、
オリジナル・オブジェの
出来上がり！

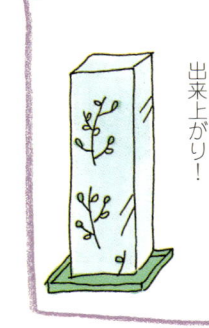

秋

いろいろ使える

秋色シートのつくり方

お店にあるコピー機を使って。

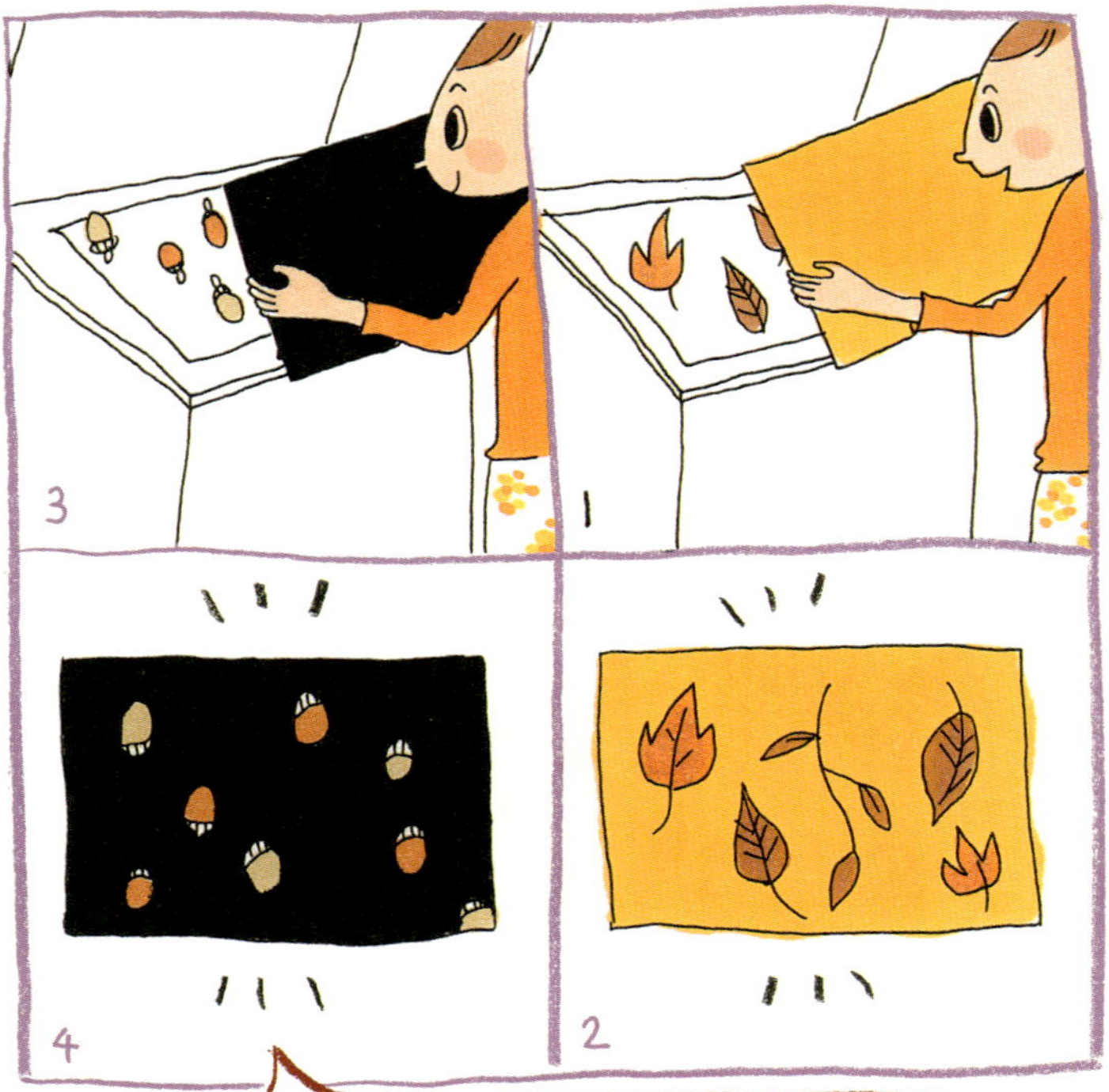

ランチョンマットとして使ったり、
ブックカバーなどアイデア次第で。

1 コピー機の上に、落ち葉を並べ、
その上に、布地やニットをのせてコピー。
2 赤や黄色の葉っぱが、素敵なシートに！

3 木の実を並べ、
その上に黒や茶色の紙をのせてコピー。
4 シックな「森の秋」バージョンに！

薄い和紙に、もみじを貼りつけて、ランプシェードにする方法もあります。

冬

本物のクリスマスツリーを飾る

どうせ飾るなら、
イミテーションではなく、本物のツリーを。
最近では、卓上サイズのものも売られています。
モールやビーズ、フェルトやリボンを使って
オーナメントを手づくりすれば、
それだけであたたかい感じの
オリジナル・インテリアに。

モコモコ素材で あたたかく過ごす

クッションやひざかけなど、
体にふれるものには
モコモコとした素材を。
ホットカーペットの上に、
毛足の長いラグを敷くと、
ホカホカ感倍増！

お正月は和の空間に

思いっきり和のテイストを
採り入れたいお正月。
玄関にしめ縄のリース、
部屋のあちこちに干支の置き物……
それだけでも、お正月気分！

切り紙で雪の結晶をつくって、
窓に貼ってみるのもいかが？

和風に変身！ お正月用フラワーベース

黒い和紙を花瓶に巻きつけ、
テープで留めます。
細い花瓶は2つ一緒に、
赤い水引やリボンでまとめて。
センリョウやナンテンなど
赤い実のついた枝や菊を飾ると、
ゴージャスに。

お部屋で楽しむ季節行事

部屋で、ベランダで プチお花見と和スイーツ

春先は、まだまだ肌寒く、
雪が降ったりして、
お花見の予定がキャンセルに……。
そんなときは、窓辺やベランダで、
きちんと点てたお抹茶と
桜餅で春気分を。

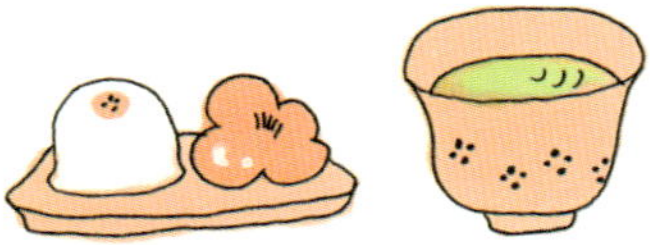

お抹茶を点てる

茶碗、茶せん、抹茶、茶杓用意。
茶碗はお碗やカフェオレボウルなどで、
茶杓はティースプーンで代用可。

1

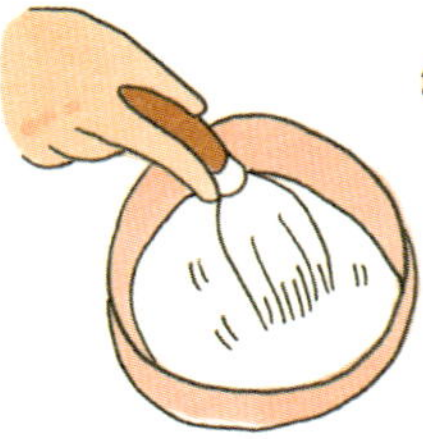

茶碗にお湯を入れ、
茶せんでまぜると、
穂先がやわらかくなり、
茶碗があたたまる。

2

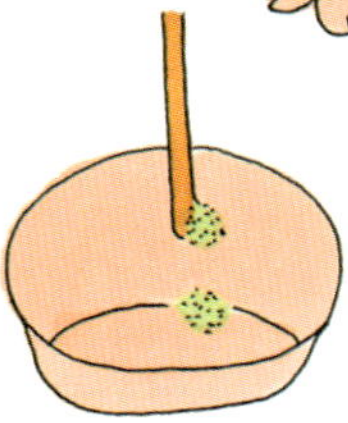

お湯を捨て、茶杓で抹茶を1.5～2杯入れる。ティースプーンなら1杯程度。抹茶は茶漉《こ》しでふるっておくと◎。

3

少し冷ましたお湯、
約100ccを茶碗
に注ぐ。

4

茶せんで素早くかき混ぜる。手首を使うと、泡立ちがふんわりときめ細かに。

秋の夜に月光浴
ランプやキャンドルを
ほんのり灯して

仲秋の名月に、
お団子を供えて月見酒、
部屋の灯りを消して、
キャンドルやランプを
ほんのり灯しながら、
ゆるりと過ごすのも素敵。
彼と、親友と、
ふたりで語らうのが
似合います。

思いきり楽しむバレンタイン
アプローチのいろいろ

ハート型ランプで、間接照明に。
型抜きを使って、
ハートづくしのお料理……。
部屋のあちこちに、
ピンクや赤の
アクセントをあしらい、
スペシャルなレイアウトに。

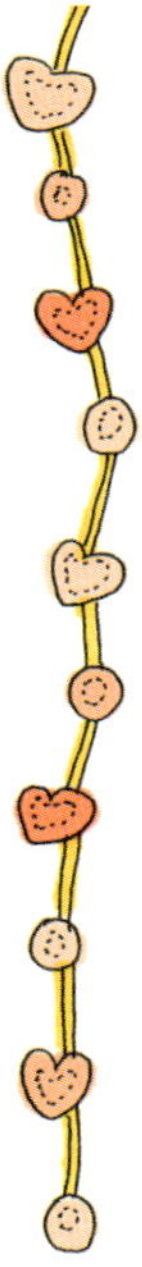

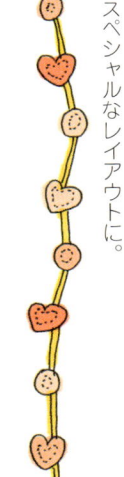

お風呂をバレンタイン仕様に！
ハート型のスポンジや
桃色の入浴剤、
鏡やガラスに
ジェル状シートの
ハートをいっぱい貼りつけて。

ガーデニングの楽しみ

キッチンガーデン

ちょっとした薬味にしたり、
料理に使えるハーブをいろいろ植えて、
収穫しながら食べるのが楽しい。
小さな鉢やプランターでも育てられて、
場所を取らずに栽培できるのが、
キッチンガーデンの魅力です。

●スイートバジル

トマトとよく合うので、パスタ料理などに。
フレッシュバジルを使った、
バジリコ・スパゲッティは美味。

●イタリアンパセリ

ビタミン・ミネラルが豊富。
サラダのほか、スープやシチューなどにも。

●ロケット

ゴマの風味が特徴的。
トマトやオリーブオイルと相性がよく、
サラダにもGOOD！

●クレソン

サラダや付け合わせに。
水耕栽培ができるので、
キッチンの片隅で育てられる。

スプラウト栽培

ちょっとしたスペースがあれば、
季節を問わず、1週間くらいで、
ぎっしり育ちます。
カイワレダイコン、ブロッコリー、
アルファルファ、マスタード、
小麦、ソバ、紅花など……。
採りたての新鮮さを味わいたい。

摘みたてのハーブを使って、ハーブティーはいかが？

レモングラス4〜5本(約5cm)、
レモンバームと
スペアミント2〜3枝を
細かくちぎってポットへ……。
熱湯を注いで蓋《ふた》をして、
1〜2分蒸らしたら、出来上がり。
すっきり、リフレッシュ！

●ラベンダー

抗菌、鎮静、食欲増進、
不眠症の改善、ストレス解消など、
さまざまな効能を持った
ポピュラーなハーブ。
ティーやバスに使ったり、
リースやポプリにしてインテリアにも。
害虫を忌避する働きもあるのだとか。

●アケビ、クレマチス

ベランダの手すりや壁には、ラティスを立て、
蔓性植物を這わせると、
グッと雰囲気のある空間に。

●蚊連草

蚊が嫌う成分が含まれているハーブで、
ベランダにはぴったり。
繁殖力があり、育てやすいのも◎。
春以降、可愛いピンクの花が咲く。

ベランダガーデン

花や観葉植物を育てたり、
小さなガーデンチェアを置いて、
摘み取ったハーブで
ハーブティーを楽しんだり。
季節に合わせた植物を
レイアウトすることで、
夏は涼しく過ごす
部屋づくりにも役立ちます
（P111参照）。

フレッシュハーブで作る スパイシーホットミルク

ローレルとナツメグには
消化を助ける成分が入っているので、
疲れた胃腸もホッと癒されます。

材料（1人分）
牛乳……150cc　ナツメグ……少々
ローレル（月桂樹）……1枚
砂糖orはちみつ……お好みで

作り方
1 小鍋に牛乳とローレルを1枚入れて温める。
2 カップに1を注ぎ、おろしたてのナツメグを少々振りかける。
3 好みで、砂糖、はちみつ、メープルシロップで、甘味を付ける。

場所に合わせて アートフレームの飾り方

サイズ違いのフレームを
たくさん飾るなら、
いちばん下のラインをそろえて。

縦長のフレームは、
2個を対になるように飾ると
バランスがいい。

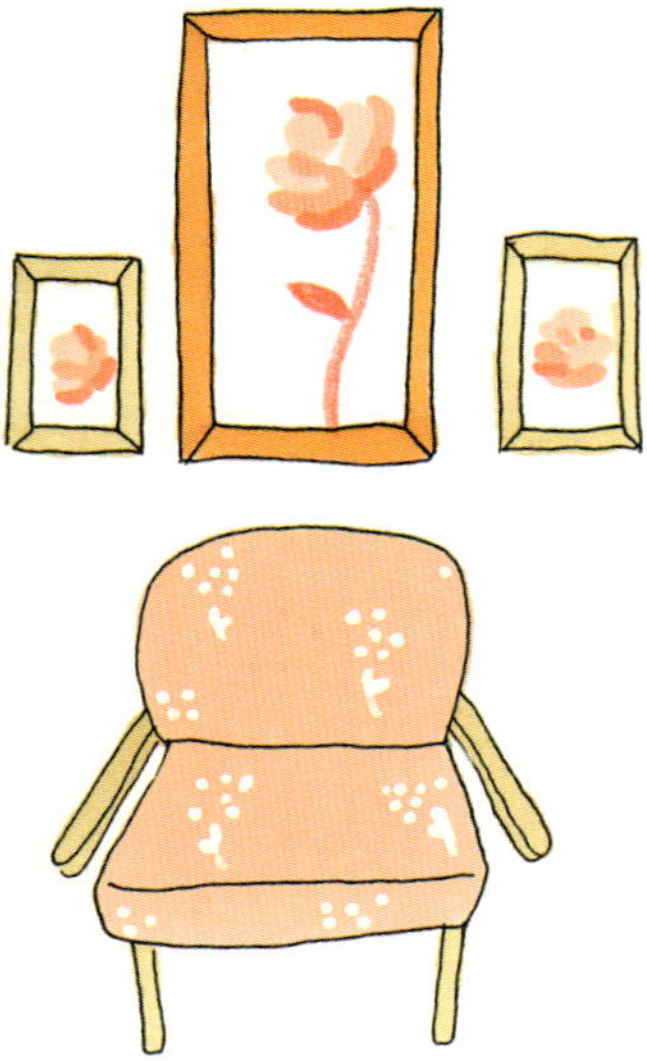

小さめのフレームなら、
2個or4個をまとめて
飾ると雰囲気がup。

階段に飾るときは、
傾斜の角度に合わせて目線の位置に。

お気に入りのオブジェを探して

テーブルの上、出窓、飾り棚など、
置く場所に合わせたオブジェを
探して歩くのも楽しい。
アジアンテイスト、
和風、モダンアート風……。
素敵なオブジェに出会ったら、
部屋のテイストに合っているか、
どう飾るのか、想像してみて。

写真をイーゼルで飾る

小さなイーゼルやクリップスタンドで
写真を飾ると、新鮮な印象に……。
写真をより立体的に見せる効果も。
人物やペットなどが写ったものより、
イメージ・ショットなどがおすすめ。

窓辺や棚をアンティークに

アンティーク風小物と、
レースやグリーンを組み合わせて、
洋風レトロな空間を演出。
棚や台の上に小物を配置、
壁には額縁……横と縦の空間を
組み合わせて使うと、立体的に。

アロマが香る暮らし

部屋別おすすめアロマ

リビング

ベルガモット、
グレープフルーツ、
ラベンダー、レモンなど。
心身を元気にして、
気分転換にもぴったり。

寝室

ラベンダー、ゼラニウム、
スイートオレンジなど。
疲れた体を
リラックスさせる、
やさしい香り……。
バスルームにも。

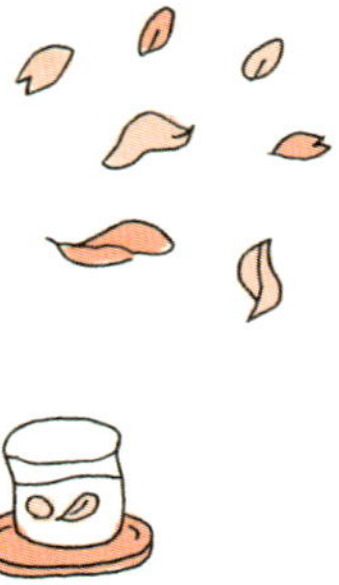

キッチン

レモングラス、レモンなど。
空気を清浄に保ち、
殺菌の働きも。

玄関・トイレ

玄関には、ローズ、ジャスミン、
メリッサなどのフローラル系で、
華やかさを演出。
トイレには、空気を爽やかに保つ
シナモン、ペパーミント、
ユーカリ、ティートリーなど。

アロマの歴史

●古代エジプトでは、皮膚などを守る軟膏や香油を、
植物からつくって、治療に使っていました。
ミイラをつくるときの防腐剤にもなっていたとか。
●中世に入ると、「世界最古の香水」「若返りの香水」といわれた
ハンガリーウォーターによって、王妃の持病のリウマチが治り、
求婚を受けるほどの若さを取り戻したという伝説も……。
●イギリスでペストが大流行したとき、香水工場で働いていた人々
は健康を保っていたともいわれていました。
●現代では、リラックス目的だけでなく、
補助療法としてメディカル・アロマセラピーが
医療の現場でも活用されています。

アロマで潤う 香りの活用法

シャワーでリフレッシュ

お風呂の床に、柑橘系やローズマリーの
オイルを2〜3滴たらし、
熱いシャワーをかけて香りを立たせれば、
朝すっきり目覚めます。
排水口のニオイ消しには、
ペパーミントやユーカリのオイルを
2〜3滴入れた熱湯を流し込むだけ。

コンディショナーに

お風呂上がりに、
500円玉くらいのアロマオイルを
手のひらにのせて伸ばし、
乾かす前の髪に、
揉みこむようになじませます。
しっとり感とほのかな香りが残り、
心地よい眠りにも。

家事にも香り・消臭

まな板の除菌には、レモンやペパーミント
のオイルを水を張った中に入れ、
一晩つけ置きにします。
電子レンジには、水を入れた
耐熱性の容器にレモンオイルを1〜2滴。
1分ほど加熱すると、こもったニオイが
取れて爽やかに。

手づくりワインで くつろぎTIME

安い国産ワインが、
香り高いハーブワインに

1 白ワイン（720mℓ）1本の栓を抜き、
ビンごと深い鍋に入れて
湯せんにかける。
2 ワインが温まってきたら、
ローズマリーの枝1〜2本
入れる。
3 香りが立ってきたら、
ビンを取り出し、
荒熱を取ったあと栓をつけ、
冷蔵庫で冷やす。

※乾燥ラベンダーでも美味！

掃除・洗濯にもアロマ

ペパーミントやラベンダー、ユーカリ、
ベルガモット、タイム、ローズマリーは、
殺菌・抗菌に優れ、掃除でも大活躍！
お湯にオイルを入れて床を拭いたり、
掃除機のフィルターに染みこませたり、
カビ除け防止のスプレーにも……。
洗濯のすすぎのときに、
オイルを入れて香りを楽しんだり、
アイロンがけやタンスの防虫にも◎。

監　　修　　　毎田　祥子（まいだ　しょうこ）

日本IBM(株)に約8年秘書として勤務後、専業主婦を経て、企業や生協の広報誌制作で家事情報の編集に携わり、生活情報専門ライターとして独立。先輩の働く女性や主婦たちなど、多様な学習、取材活動から学んだ家事の楽しさや両立のコツを伝えようと、総合ポータルサイトAll Aboutにて『共働きの家事』ガイドを3年務めた。その後、家事そのものの楽しさをより追求すべく同サイト『家事の知恵』ガイドを務めながら、マスコミへの執筆、監修、出演等を行っている。

All About『家事の知恵』http://allabout.co.jp/family/housework/

イラスト　　　岩上　喜実（いわがみ　のぶみ）

鳥取県在住。イラストレーター。「ベネトン」のカタログや大学のパンフレット、企業の広告を手がける。2004年、雑誌『ダ・ヴィンチ』の第2回「コミックエッセイプチ大賞」でB賞を受賞。2007年、イラストエッセイ本を発売予定。

装　　丁　　　石間　淳

編集協力　　　オメガ社

掃除でハッピー！

快適！　わたしのお部屋

2007年4月27日　第1版第1刷発行

2008年10月24日　第1版第6刷発行

監　　修　　毎田祥子

発 行 者　　江口克彦

発 行 所　　PHP研究所

東京本部　　〒102-8331　千代田区三番町3番地10

文芸出版部　☎03-3239-6256（編集）

普 及 一 部　☎03-3239-6233（販売）

京都本部　　〒601-8411　京都市南区西九条北ノ内町11

PHP INTERFACE　http://www.php.co.jp/

組　　版　　株式会社明昌堂

印 刷 所　　図書印刷株式会社

製 本 所　　東京美術紙工事業協同組合

落丁・乱丁本の場合は弊所制作管理部（☎03-3239-6226）へご連絡ください。送料弊所負担にてお取り替えいたします。

ISBN978-4-569-69188-6